W9-CCN-353

CÉU AZUL
DE COPACABANA
editora

RIO DE JANEIRO

Rio de Janeiro

Hans Donner
Fotos: Felix Richter
Martin Fiegl

Quem nasce no Rio de Janeiro e cresce rodeado pelo mar, lagoa e morros, tende a olhar para toda essa beleza como se fosse comum e natural. Por isso, para registrar as impressões que acompanham as fotografias desta obra, convidamos um „forasteiro". O termo vem literalmente entre aspas porque, durante metade dos seus 54 anos vivendo e amando o Rio, Hans Donner é tão ou mais carioca do que muitos nativos. E ficamos felizes por ele ter concordado em participar.

Hans Donner é, hoje, uma celebridade, um Brasileiro com „B" maiúsculo. Conhece o País como poucos. O Rio, com seu calor humano, alegria e generosidade, o acolheu desde 1975, portanto, há 27 anos. Começava ali uma história de realização profissional, com seu trabalho inovador na então jovem TV Globo. Donner trouxe técnica e, com um estilo *clean,* desenvolveu um conceito institucional de *design* ao qual foi agregando influências da cidade: cores e curvas, ritmo, alegria e humor.

Com a sensibilidade e emoção de um artista, construiu uma carreira de sucesso e é mundialmente reconhecido como mago da comunicação televisiva. Desde a década de 70, suas criações são vistas diariamente por 50, às vezes, 75 milhões de telespectadores. Foi também no Rio que encontrou outra paixão, a musa de sua vida, Valeria Valenssa, com quem constituiu família, realizando-se também no plano pessoal. Ela é há dez anos o símbolo do carnaval brasileiro, a *Globeleza,* uma unanimidade nacional como exemplo estético máximo da mulher perfeita.

Alemão de nascimento, Hans viveu desde a infância na Áustria, perto da Suíça, também rodeado de belezas naturais ímpares e, a seguir, no clássico destino turístico, Viena, onde estudou e foi influenciado por um expoente das artes, Gustav Klimt. Com uma vida promissora pela frente, sua paixão pelo futebol e a Copa do Mundo de 1958 „mexeram" com sua sensibilidade. A partir dali, seu sonho de conhecer o Brasil, acalentado desde a adolescência, tornou-se realidade – resultou no caminho para uma brilhante carreira profissional e uma vida pessoal plena. Hans Donner pondera:

Se o grande objetivo do ser humano é o de ser feliz, podendo utilizar todas as suas potencialidades para distribuir essa felicidade, então posso dizer que no Rio alcancei a grande meta da existência. Sinto-me integrado a esta bela cidade. Sou parte dela, vivo no seu espírito e, por isso, gostaria de declarar orgulhosamente: SOU CARIOCA.

Por estar totalmente integrado a sua cidade adotiva e possuir parâmetros comparativos, consideramos suas impressões entusiásticas sobre o Rio acima de qualquer suspeita.

Felix Richter
O Editor

Whoever grows up in Rio surrounded by sea, lakes and hills tends to take all its beauty for granted. On the other hand, those coming from other, less blessed regions of Brazil have a tendency to exagerate Rio's charms. We have therefore invited a "foreigner" to set down his personal impressions of this wonderful city. Foreigner in quotes, since he is an Austrian, born in Germany, yet having lived half of his 54 years in Rio. He is a true *Carioca* (born in Rio) – perhaps even more so than many a genuine native. Hans Donner grew up near the Swiss border, surrounded by beautiful lakes, mountains and rivers. Subsequently he studied in the splendid city of Vienna, the city of Gustav Klimt. That is why we are certain to have chosen the right person to write unbiased texts for this book and are grateful to Hans Donner for having accepted to do so.

Even before his studies in Vienna, Donner's passion for soccer and the 1958 World Cup awoke his feelings for Brazil, something he also describes in this book. Later on, his childhood dream of getting to know Brazil came true and he started out on the road to his successful professional career and personal fulfillment.

Hans Donner is a famous personality in Brazil today and knows the country as few others do – in the last two years alone, he has been twice to all the capital cities of Brazil's 27 states. Since 1975, Rio has accepted him with all its human warmth and generosity. That's where his professional career began with innovative work at the young TV Globo. Donner brought the technique and added Rio's colors, curves, rhythm, joy and humor to his clean style, soon earning him the reputation as the "Wizard of Telecommunication".

Since the seventies, 50 – sometimes 75 million view his creations daily. But he also found another passion in Rio: the muse of his life, Valeria Valenssa, with whom he founded a family, thereby also fulfilling his private life. For the past ten years she has been the symbol of the Brazilian Carnival, known as *Globeleza.* The entire nation agrees that she embodies the supreme aesthetic qualities of the perfect woman.

Hans Donner: *"... if the greatest goal of humanity is to be happy, and you even have the chance of sharing this happiness with the human beings surrounding you, then I can truly say that in Rio I have attained the goal of my existence. Here in this beautiful city I feel integrated. In this city I have been accepted, I am part of it, I live in its spirit, thus I am proud to be able to say: I am a Carioca."*

And because he is *carioca* in body and soul, we feel that no one is better qualified to give us his impressions about Rio.

Felix Richter
Editor

Quien crece en Río de Janeiro rodeado de mar, lagunas, selva virgen y colinas, tiende a mirar esa fascinante belleza como si fuese común y natural. Por otra parte, quien es originario de regiones de Brasil menos privilegiadas, tiene la tendencia de exagerar las ventajas de Río. Por eso hemos preferido invitar un „brasileño extranjero" para describir sus impresiones personales de esta maravillosa ciudad. „Brasileño extranjero" entre comillas porque esto seria la definición para un brasileño que vive en el extranjero, pero Hans Donner es un austríaco, nacido en Alemania, con la mitad de sus 54 años vividos en Río y entretanto se convirtió en un *Carioca*. Hans Donner creció en las cercanías de Suiza y por lo tanto conoce desde su niñez, las bellezas naturales de los lagos, montañas y ríos. Sus años de estudio los transcurrió en una de las ciudades más hermosas del Mundo, en Viena, ciudad de Gustav Klimt. Por eso estamos convencidos de haber escogido a alguien libre de todo prejuicio, para escribir el texto de este libro y nos alegramos que Hans Donner se haya prestado para hacerlo.

Durante el campeonato mundial de fútbol en 1958, se despertaron en el amante apasionado del fútbol sus primeros sentimientos por Brasil, sobre lo cual, además, escribe en este libro. Más tarde puede realizar su sueño de juventud y emigra al Brasil, donde él comienza su vida profesional con gran éxito.

Hans Donner es famoso en Brasil. Él conoce el país como muy pocos (en los últimos dos años ha estado 2 veces en cada una de las capitales de los 27 estados del Brasil). Desde el 1975, Río lo acogió con su calor humano y generosidad. Comenzó allí un trabajo innovador en la entonces joven Televisión Globo, donde con su técnica y estilo gráfico clean, creó con rapidez un nombre dentro del diseño, siempre influenciado por colores, formas, ritmos, alegría y humor de la ciudad de Río. Con la sensibilidad y emoción de un artista, construyó una carrera de suceso y es mundialmente conocido como el „Mago de comunicación televisiva".

Desde la década de los 70, sus creaciones son vistas diariamente por 50, algunas veces por 75 millones de telespectadores. Fue también en Río donde encontró otra pasión, la musa de su vida, Valeria Valenssa con la que formó una familia, realizándose también en la vida personal. Desde hace 10 años Valeria es el símbolo del carnaval brasileño. Como *Globeleza*, es considerada en todo Brasil como la personificación de la mujer estéticamente perfecta.

Hans Donner opina: „*Si el objetivo más grande es el de ser feliz y si, además, se tiene la posibilidad de compartir esa felicidad con las personas de su alrededor, entonces puedo decir que he logrado la gran meta de mi existencia. Me siento integrado a esta bella ciudad. Soy parte de ella, vivo con el espíritu y el alma de esta ciudad y por eso estoy orgulloso de poder decir: Soy Carioca.*"

Siendo pués, Hans Donner un Carioca de cuerpo y alma y totalmente integrado a su ciudad adoptiva Río, no conocemos a nadie mejor para expresar sus impresiones.

Felix Richter
Editor

Wer in Rio de Janeiro von Meer, Lagunen, Urwald und Hügeln umgeben aufwächst, neigt dazu, diese überwältigende Naturschönheit als selbstverständlich zu betrachten. Anderseits, wer aus weniger bevorzugten Gegenden Brasiliens stammt, hat die Tendenz, die Vorzüge Rios zu übertreiben. Daher haben wir es vorgezogen, einen „Auslandsbrasilianer" einzuladen, um seine persönlichen Eindrücke zu dieser wunderbaren Stadt zu beschreiben. „Auslandsbrasilianer" in Anführungszeichen, weil dies streng genommen die Bezeichnung für einen im Ausland lebenden Brasilianer wäre, wobei Hans Donner ein in Deutschland geborener Österreicher ist, der jedoch die Hälfte seiner 54 Lebensjahre ununterbrochen in Rio gelebt hat und mittlerweile ein echter Carioca (Einwohner Rios) geworden ist. Dazu wuchs Hans Donner in der Nähe der Schweiz auf und kennt daher die Naturschönheiten wie Seen, Berge und Flüsse seit seiner Kindheit. Seine Studienjahre hat er in einer der schönsten Städte der Welt verbracht: in Wien, Gustav Klimts Stadt. Deshalb sind wir überzeugt, jemanden Unvoreingenommenen ausgewählt zu haben, um den Text für dieses Buch zu schreiben, und freuen uns, dass Hans Donner sich dazu bereit erklärt hat.

Noch vor seiner Studienzeit in Wien erwachten in dem leidenschaftlichen Fußball-Liebhaber während der Fußball-WM 1958 seine Gefühle für Brasilien, worüber er übrigens auch in diesem Buch schreibt. Später erfüllte er seinen Jugendtraum, als er nach Brasilien auswanderte, wo er seine erfolgreiche berufliche Karriere begann und auch sein persönliches Glück fand.

Hans Donner ist seit Jahren in Brasilien eine prominente Persönlichkeit. Er kennt das Land so gut wie nur wenige (er war allein in den letzten zwei Jahren zweimal in allen Hauptstädten der 27 Staaten Brasiliens). Seit 1975, also seit 28 Jahren, hat Rio ihn mit seiner menschlichen Wärme und Großzügigkeit aufgenommen. Dort begann er mit innovativer Arbeit bei dem damals jungen TV-Sender Globo, wo er seiner Technik und seinem graphischen „*clean style*" die Farben, die Formen, den Rhythmus, die Freude und den Humor der Stadt hinzufügte und sich dabei schnell einen beträchtlichen Namen hinsichtlich Design verschaffte. Mit der Sinnlichkeit und den Emotionen eines Künstlers schuf er seinen Ruf und ist weltweit als „Magier der Telekommunikation" bekannt.

Seit den 70er Jahren sehen täglich 50, manchmal 75 Millionen Zuschauer seine Kreationen. Aber in Rio hat er auch eine andere Leidenschaft gefunden: Die Muse seines Lebens, Valeria Valenssa, mit der er eine Familie gründete und somit auch sein privates Leben erfüllte. Seit über 10 Jahren ist Valeria DAS Symbol des brasilianischen Karnevals. Als *Globeleza* wird sie in ganz Brasilien als Verkörperung der ästhetisch perfekten Frau angesehen.

Hans Donner meint: „*Wenn das größte Ziel darin besteht, glücklich zu sein, und man dabei noch die Möglichkeit hat, dieses Glück mit Menschen seines Umfeldes zu teilen, dann kann ich sagen, dass ich in Rio das Ziel meines Daseins erreicht habe. In dieser schönen Stadt fühle ich mich integriert. In dieser Stadt bin ich akzeptiert. Ich bin ein Teil dieser Stadt, ich lebe mit dem Geist und der Seele dieser Stadt und darum bin ich stolz, sagen zu können: Ich bin ein Carioca.*"

Und weil Hans Donner mit Leib und Seele Carioca ist und gänzlich in seiner Adoptivstadt Rio aufgenommen wurde, sind wir der Meinung, dass kaum jemand besser seine Eindrücke über Rio beschreiben könnte.

Felix Richter
Herausgeber

Rio de Janeiro, 1987

Largo do Boticário

Corcovado, Cristo Redentor

Corcovado

Pão de Açúcar

Baía de Guanabara

Praia de Botafogo

Pão de Açúcar

Copacabana

Copacabana é um dos destinos turísticos mais famosos, com uma praia de fama mundial. Morei lá, logo que cheguei ao Brasil. Aquele perfeito formato em meia-lua, a enorme faixa de areia e os diversos matizes do mar, desde o azul-marinho, passando por azuis-claros e verdes, até a espuma branca da rebentação, tudo isso, à beira de uma cidade-metrópole chamada Rio de Janeiro, é único no mundo.

O alargamento de sua praia, para a construção do calçadão, restaurou o equilíbrio entre a altura da cordilheira formada pelos prédios e o mar. Entretanto, o recuo forçado da rebentação favorece a formação de ondas que quebram abruptamente (*caixote*). Numa ocasião, uma onda dessas me jogou de cabeça na areia, com tanta violência, que cheguei a ouvir os ossos rangerem! Também é nessa praia que se celebra a maior festa de réveillon (*Guinness Book of Records*), com um público de aproximadamente 2 milhões de pessoas assistindo a seus shows e fogos de artifício.

Copacabana, Princesinha do Mar é como um filme ininterrupto. Lá tudo acontece, todos os tipos de todas as procedências imagináveis convivem. É um centro comercial que movimenta diariamente 200 mil pessoas. É o lugar dos contrastes, dos apartamentos de 1.000 m², das coberturas de frente para o mar, quase ao lado das quitinetes com 20 m².

A maioria das pessoas acha que o nome tem algum significado em Tupi-Guarani. Entretanto, a origem do nome "Copacabana" é uma imagem esculpida, padroeira da igreja Nossa Senhora de Copacabana, às margens do lago *Titicaca* (Bolívia), construída pelos colonizadores espanhóis e da qual uma réplica veio parar no Rio no século XVIII. Um certo *Frei Antônio do Desterro*, após ter-se salvado de um naufrágio, ergueu uma igrejinha em homenagem a *Nossa Senhora de Copacabana*, no local onde hoje se encontra o *Forte de Copacabana*.

Todas as manhãs, milhares de pessoas alegres, sorridentes, de todas as idades, praticam seu *jogging*, tomam água-de-coco no quiosque, cumprimentam-se, passeiam no mais belo e famoso calçadão do mundo, com suas pedras portuguesas de sinuosas formas em preto e branco - uma feliz junção da natureza e da mão do homem, obra-de-arte de 5 km de extensão.

A densidade populacional de Copacabana é tão elevada que, por ocasião de um jogo final de Copa do Mundo de Futebol, os engenheiros da Companhia de Água e Esgotos chegaram a temer que, no intervalo da partida (com meio milhão de pessoas utilizando o banheiro ao mesmo tempo), o sistema pudesse arrebentar e inundar o bairro. Mesmo assim, de lá ninguém quer sair por motivo algum.

Também em Copacabana é que está o lendário Hotel Copacabana Palace, recebendo celebridades há sete décadas: reis, rainhas, príncipes e astros famosos de Hollywood. Seu anexo serviu de residência a poderosos políticos de outros estados, antes de o Rio de Janeiro perder para Brasília o *status* de capital do Brasil.

Essa mistura, essa convivência de opostos e contrastes é que tornam o bairro incomparável.

Copacabana faz parte da fantasia coletiva de metade da humanidade. Quando, por pouco, me vi obrigado a retornar à Europa, em 1975, antes de iniciar minha carreira, antevendo o constrangimento de ter que admitir a veracidade dos maus presságios diante dos que haviam me prevenido contra a dificuldade de encontrar um emprego na área de design no Brasil, meu consolo era que, para manter a pose, iria responder: „*Sim, mas conheci Copacabana!*".

Copacabana

Copacabana is one of the most famous tourist destinations thanks to its homonym beach. I lived there, the first time I came to Brazil. Its perfectly crescent shaped white sand beach and the varied shades of the sea, from dark blue, to turquoise, light blue, green, all the way to the white of the surf. All of this amidst a metropolis called Rio de Janeiro, is unique in the world. When the beach was widenend to receive the new promenade, somehow the balance between nature and the high-rise wall of apartment buildings was restored. But ever since, the waves break abruptly and once, one of these rollers caught me full-force and threw me back into the sand. Landing on my head I heard every one of my bones grinding!

It is here that the largest New Year's Eve celebration in the world takes place (Guinness Book of Records), with a crowd of about 2 million and continuous shows all night through, the only interruption being the grandiose midnight fireworks.

Copacabana, Princesinha do mar – goes the refrain – is like a never-ending film. Here's where all imaginable and unimaginable types of people co-exist. Copacabana has an intense commerce moving 200,000 people every day. It's the place of contrasts with 1000 m² sea-view penthouses and tiny 20 m² flats around the corner. This mixture is a fascinating part of Copacabana.

There's a widespread belief that the name Copacabana has a meaning in *Tupi Guarani* but, in fact, the origin of the name goes back to a church located on the shore of Lake Titicaca in Bolivia. The church was built by Spanish colonists. A copy of the sculpture of its patroness was brought to Rio in the 18th century and after the monk by the name of *Frei Antonio do Desterro* saved his life from shipwreck, he built a chapel in honor of the patron saint where today the Fort of Copacabana stands.

Every morning, thousands of happy, smiling people of all ages go jogging and strolling on the most beautiful sidewalk in the world, made of black and white, lozenge-shaped "Portuguese" mosaic stones, a 5 km long work of art, a wonderful fusion of nature and the hand of man.

Copacabana has such a high density of inhabitants that the water and sewage authorities were worried during last year's World Cup finals, when as many as half a million people could be using the toilet facilities at the same time during intermission and cause a breakdown in the system. If that happened, Copacabana would be flooded. In spite of all this, no one even dreams of moving from Copacabana.

The legendary hotel Copacabana Palace is also located there, having lodged the rich and famous for the past seven decades: kings and queens, princes and Hollywood stars. Before Rio lost its status as Brazil's capital to Brasilia in 1960, many politicians from other provinces used to live in its annex.

The fusion of contrasts turn Copacabana into an unique place. Copacabana is part of half of mankind's collective fantasy and before my career got off to a start, I was just about to return to Europe in 1975, without a job. Foreseeing the frustration I would have to go through with my relatives and friends, who had warned me that this would happen, I kept saying to myself that my reply would be: "*Yes, but I've been in Copacabana!*"

Copacabana

El barrio Copacabana, por su ubicación en la orilla de la playa del mismo nombre, mundialmente conocida, es uno de los más famosos destinos turísticos del mundo. Viví allí cuando llegué al Brasil por primera vez. La playa de Copacabana, con forma de medialuna y los diversos matices del mar, desde un azul oscuro, turquí, un azul claro y verde hasta la blanca espuma formada por las olas, me fascinaron desde un principio. Y todo esto al margen de una metrópolis que se llama Río de Janeiro, única en el mundo.

El andén de la avenida adornada con el famoso mosaico blanco y negro, restauró el armónico equilibrio entre la altura de los altos edificios y el mar. Desde la construcción del terraplén en la playa para poder construir la avenida de mosaicos, resultó en que las olas forman una resaca. En una ocasión, una de esas olas me arrojó con tal fuerza en la arena que llegué a temer que mis huesos se destrozaban.

En Copacabana también se celebra la más grande fiesta de „Año nuevo" (Guinness Book of Records), con un público de aproximadamente 2 millones, que se divierten con shows ininterruptos y los gigantescos fuegos artificiales, lanzados desde los botes a media noche.

Copacabana, *Princesinha do Mar*, como dice un viejo refrán, es como una película interminable. Allí se encuentra de todo; conviven todos los tipos de todas las procedencias imaginables. Copacabana es un centro comercial que mueve diariamente doscientas mil personas. Es un lugar de contrastes, de lujosos penthouses de 1000 m², con vista al mar, al lado de pequeñas *garconnières* de 20 m².

Generalmente se cree que el nombre de Copacabana viene del indígena *Tupi Guaraní*. En realidad el nombre tiene su origen en una escultura de la patrona Nuestra Señora de Copacabana en una iglesia a la orilla Lago Titicaca en Bolivia, construida por los colonizadores españoles y de la cual una réplica vino a parar en Río en el siglo XVIII. Un cierto fraile, *Antonio do Desterro* se salvó de un naufragio y erigió una pequeña capilla en honor de Nuestra Señora, en el lugar donde hoy se encuentra la Fortaleza de Copacabana.

En la playa de Copacabana se encuentran diariamente miles de alegres personas, sonrientes, de todas las edades que ejercitan el „jogging", se refrescan con agua de coco en los quioscos, pasean en el más bello andén del mundo, con sus piedras „portuguesas" de sinuosas formas en blanco y negro. Una feliz unión de la naturaleza y de la mano del hombre, una obra de arte de 5 kilómetros de longitud. Copacabana tiene una densidad de población tan elevada que los ingenieros de la Compañía de Aguas y Alcantarillas llegaron a temer, por ocasión de una final de Copa Mundial de Fútbol, que en la pausa (con medio millón de personas utilizando los baños al mismo tiempo) el sistema pudiese no resistir e inundaría el barrio. A pesar de todo esto, nadie quiere abandonar ese hermoso lugar.

Es también en Copacabana donde se encuentra el legendario Hotel Copacabana Palace, recibiendo huéspedes famosos desde hace siete décadas: reyes, reinas, príncipes y estrellas famosas de Hollywood. Su famoso anexo sirvió de residencia a poderosos políticos de otros estados, antes de que Río de Janeiro perdiera su posición de capital del país al fundarse Brasilia (1960).

Esa mezcla, esa convivencia de contrastes es lo que convierte a Copacabana en una ciudad incomparable. Copacabana forma parte de la fantasía colectiva de la mitad de la humanidad. Cuando por poco, en 1975, me vi obligado a regresar a Europa, antes de iniciar mi carrera, previendo el embarazo de tener que admitir la veracidad de los malos presagios delante de los que me habían prevenido en contra del Brasil, mi consuelo era de que respondería: *„Si, pero conocí Copacabana!"*

Copacabana

Das Stadtviertel Copacabana ist dank seiner Lage an dem weltweit bekannten, gleichnamigen Strand eines der berühmtesten Reiseziele der Welt. Dort lebte ich, als ich zum ersten Mal in Brasilien ankam. Der halbmondförmige Strand von Copacabana und die mannigfaltigen Schattierungen des Meeres, von dunkelblau über türkis, hellblau, grün bis hin zu der weißen Gischt, faszinierten mich von Anfang an. Und das alles in einer Metropole, die Rio de Janeiro heißt und einzigartig auf der Welt ist.

Die Promenade mit dem berühmten Mosaik schafft eine harmonische Verbindung zwischen der Reihe von Hochhäusern und dem Meer. Seit der Aufschüttung des Strandes zwecks Errichtung dieser Mosaik-Promenade brechen die größeren Wellen nun abrupt. Einmal hat mich eine dieser Wellen erfasst und mit voller Wucht in den Sandgrund geworfen. Ich landete auf dem Kopf und hörte meine sämtlichen Knochen knirschen!

An der Copacabana findet auch die größte „Silvesterparty" der Welt statt, mit einem Publikum von ungefähr 2 Millionen (Guinness Book of Records). Verschiedene Popstars sorgen für ausgelassene Unterhaltung und das gigantische Feuerwerk, das von Booten aus um Mitternacht abgefeuert wird, bildet den Höhepunkt der Nacht.

Copacabana, *princesinha do mar,* so lautet der alte Refrain, ist wie ein Nonstopfilm. Dort kann man alles finden: jede erdenkliche Art des Zusammenlebens. Copacabana ist ein Handelszentrum, wo täglich an die 200.000 Personen zirkulieren. Ein Ort der Gegensätze mit 1000 m² großen Penthouses mit Ausblick aufs Meer unmittelbar neben 20 m² kleinen Garconnieren.

Es wird allgemein angenommen, dass der Name Copacabana aus der Indianersprache *Tupi Guarani* kommt. In Wirklichkeit stammt der Name von einer Skulptur der *Schutzherrin Nuestra Señora de Copacabana* in einer Kirche am Titicacasee in Bolivien. Diese Kirche wurde damals von spanischen Kolonialherren erbaut. Eine Kopie dieser Skulptur kam im 18. Jahrhundert nach Rio und nachdem sich ein Ordensbruder namens *Frei Antonio do Desterro* vom Schiffbruch retten konnte, erbaute er zu Ehren der Schutzherrin eine kleine Kapelle an dem Ort, wo heute das *Forte de Copacabana* steht.

Am Strand trifft man täglich Zehntausende fröhliche, lachende Menschen aller Altersklassen, die joggen, flanieren und an den Kiosks der schönsten Mosaikpromenade der Welt Kokosmilch trinken. Die „portugiesischen", schwarz-weißen, wellenförmig gemusterten Mosaiksteine bilden ein 5 km langes Kunstwerk, eine wunderbare Verschmelzung von Natur und Handwerk.

Copacabana hat eine so hohe Einwohnerdichte, dass die Wasser- und Kanalisationsbehörden während des WM-Fußballfinales folgende Sorge hatten: Falls mehr als eine halbe Million Menschen gleichzeitig in der Spielpause die Toiletten benützen würden, könnte das Abwassersystem bersten und Copacabana könnte von unten her überschwemmt werden.

Trotz alldem denkt kaum jemand daran, aus Copacabana wegzuziehen.

Das legendäre Hotel Copacabana Palace beherbergt seit sieben Jahrzehnten Prominente aus aller Welt: Könige und Königinnen, Prinzen und Hollywood-Stars sowie mächtige Politiker hauptsächlich aus São Paulo und Minas Gerais, als Rio noch die Hauptstadt Brasiliens war (bis 1960).

Die Verschmelzung von Gegensätzen macht Copacabana unvergleichlich. Copacabana ist ein Traumreiseziel für Menschen aus aller Herren Länder. Bevor meine Karriere ihren Anfang nahm, stand ich 1974 vor der Möglichkeit, gezwungenermaßen nach Europa zurückreisen zu müssen, weil es so aussah, als würde ich in Brasilien doch keinen Job finden, wovor man mich in Europa gewarnt hatte. Frustriert über diesen Gedanken tröstete ich mich damit, auf jegliche Andeutung antworten zu können: *„Ja, aber dafür kenne ich Copacabana!"*

Copacabana, Botafogo, Pão de Açúcar

Copacabana

Copacabana

Frescobol em Copacabana

Carnaval – Marquês de Sapucaí

Carnaval

Minha relação com o Carnaval faz parte das experiências mais intensas e importantes de minha vida. Recém-chegado ao Brasil, fui assistir ao Desfile das Escolas de Samba, ainda na Avenida Presidente Antônio Carlos. A experiência mais impactante, porém, só se daria nove ou dez anos mais tarde, a essa altura, na Passarela do Samba – agora, não mais como mero espectador, mas como componente da Ala do compositor e cantor *Jorge Ben Jor*, na Escola de Samba Acadêmicos do *Salgueiro*. Vestíamos *smoking* branco e gravata-borboleta vermelha. Ao redor, mulheres superproduzidas.

No local da concentração da Ala – uma bela mansão em Laranjeiras – a festa já „rolava", enquanto acompanhávamos pela TV o começo do Desfile. De repente, o céu desabou numa tempestade exuberantemente tropical. O Sambódromo virou um rio, virtualmente. Pensei: „Vou parecer um pingüim branco à deriva naquela correnteza ..."

Chegar à concentração do Salgueiro já foi uma aventura; outra, esperar para entrar na Avenida. Minha primeira impressão marcante foi a formidável mistura de gente de todas as cores e procedências, de ricos e pobres, desde crianças a baianas idosas, aquele *cadinho* de todas as crenças e raças, que é uma das características mais fascinantes do Carnaval brasileiro.

A tensão vai crescendo. Sair da concentração à meia-luz e entrar na Avenida iluminada é como ser impelido para o clarão de uma explosão. No começo simulei uns tímidos passos de samba diante daquele público de talvez umas 80 mil pessoas e, entre esse esforço e o de cantar, era como empurrar um carro alegórico. Fiquei sem fôlego – apesar da minha boa condição física de esquiador. Então, acontece algo mágico: o estrondo da bateria dita o ritmo da batida do coração da multidão, e todos rebatem com aquela inacreditável energia coletiva, integrando-se ao desfile, pulando e cantando o samba-enredo. Você cresce e começa a flutuar ao longo dos 700 metros de pista (que pareciam intermináveis ...), como sendo levado pela correnteza formada por 4 mil componentes da Escola que se espremem pelos 7,5 m de largura da pista. Então você entende a razão por que, do humilde ao mais vip dos componentes, todos aguardam este momento durante o ano todo: ser Princesa, ser Rainha, ser Superstar. Ser parte dessa emoção coletiva, durante 90 minutos! Não há no Planeta manifestação da cultura popular que se compare em criatividade, ritmo, dança, paixão, cores, corpos, beleza, sensualidade, grandiosidade, densidade.

Há, sim, um que é similar em muitos quesitos, exceto no ritmo, e que é diferente: o Festival de Parintins, realizado no meio da Floresta Amazônica.

Logo depois daquela horinha e meia de glória, você é virtualmente evacuado às pressas pelas saídas laterais da Apoteose. Com rostos e corpos exaustos, suados, a fantasia desarrumada, a volta à realidade é abrupta. Mas *the show goes on*, e a próxima Escola já está entrando na Avenida. Seu sonho só poderá repetir-se no ano que vem ...

Agora imaginem a experiência vivida ao lado da Valéria, a quem acompanhei por muitos anos nos seus desfiles como destaque de diversas Escolas de Samba. Aquele corpo ouro-chocolate, perfeito, decorado com alguns traços de cor e purpurina, sambando num ritmo frenético. A *Globeleza*, a incorporação do Carnaval carioca e brasileiro, da sensualidade, aquela entrega física e emocional total, cruzando a pista de lado a lado com o carisma de uma Deusa, irradiando felicidade e sendo ovacionada pela multidão.

Como disse muito apropriadamente o „carnavalesco do século", Joãozinho Trinta: „O segredo que a faz permanecer no topo por mais de uma década é a sua *elegância*."

Virar tema de uma Escola de Samba é uma honraria nacional. Inúmeros enredos homenagearam vultos históricos, como aquele prestado à chegada da Princesa Leopoldina à Corte de D. Pedro I, pela Escola de Samba Imperatriz Leopoldinense, em 1996. Quando, em 1997, a Mocidade Alegre resolveu escolher „*Hans Donner, o Mago e seu Universo*" como enredo, acabei virando o segundo austríaco – e primeiro estrangeiro vivo – a receber tal distinção. Mas isso daria uma história à parte, meramente mencionada aqui para ilustrar até que ponto chegou meu envolvimento com o Carnaval.

Carnival

My relationship with Rio's famous Carnival is part of the most intense and most important experience of my life. When I arrived in Brazil, I saw a parade of the samba schools *(Desfile das Escolas de Samba)*, then, still on *Avenida Pres. Antonio Carlos*. The experience, which had a deep influence on me, however, did not occur until nine or ten years later, now at the *Sambódromo* – the Samba stadium built in 1984 by Oscar Niemeyer, the architect of Brasilia. And this time not as a mere spectator, but as part of the *Acadêmicos do Salgueiro* samba school, more precisely in one of the many "wings", as the subdivisions are called, the one organized by the singer Jorge Ben Jor. We wore white dinner jackets with red bow ties and were surrounded by magnificently styled women.

The warm-up at our wing's meeting place – a wonderful villa in *Laranjeiras* – was on, while we followed the beginning of the 10 hour parade on TV. All of a sudden, one of those tropical down-pour transformed the parade track into a river. I told myself: "You're gonna look like a white penguin, drifting away in the current." It was quite an adventure to reach our wing's correct location among the 4000 thousand or so components of the parade. Yet, another was getting ready and wait for the start for over an hour. My first, strong impression was the mixture of all the different kinds of people of diverse colors and origins, rich and poor, young children and old baianas (the typical folklore figure from Bahia), this melting pot of every imaginable religious creed and race, one of the most fascinating characteristics of Carnival. And Brazil, for that matter.

We start moving. The excitement grows while we are leaving the poorly illuminated "back stage" and emerge into the brilliantly lighted *Sambódromo*. It's as if entering into an explosion's glare. At the beginning, I hesitatingly tried to imitate some samba steps in front of this public of 80,000 people. The emotion and effort of dancing and singing at the same time was like pushing one of those *carros alégoricos* (the huge theme-carrying floats). Despite my excellent physical fitness from skiing, I was breathless in no time, but then the magic happened: the explosive beat of the *bateria*, composed by 20 different rhythmic instruments, accelerating the crowd's heartbeat and which starts returning the vibration, dancing, jumping and singing the *samba-enredo*, adding its intense collective energy into the parade. And somehow you start growing, floating along the initially endless appearing 700 m long track, borne along by the effervescence of 4000 paraders, dancing their way along the seven and a half meters wide *avenida*. That's when you start understanding why 50,000–60,000 *cariocas* (and a few hundred foreigners) who make up the 14 samba schools of the 2-day-parade, anxiously await this moment of becoming a princess, a king, a superstar. To be part of this huge collective commotion for eighty minutes. There is no comparable expression of folklore on this planet in creativity, rhythm and dance, color, beauty and sensuality, grandeur and density.

May be, with the exception of the *Parintins* Festival, with a different beat and which happens in the middle of the Amazon region in June.

After one and a half hour of glory, the parade reaches the dispersion area at the end of the *Sambódromo*, called *Apoteose*, from where you're thrown back to reality in no time, exhausted, perspiring and with disarrayed costumes. But the show must go on and the next samba school enters the stadium. To repeat your dream, you will have to wait another year.

Now, imagine what I experienced escorting Valeria on her parades as star-feature, in several samba schools, each year for over a decade. This perfect chocolate-golden body, adorned with a few colored stripes and glitter, frenetically dancing samba, called *Globeleza*, the embodiment of the sensuality of Carnival. The total physical and emotional dedication of this woman, criss-crossing the *avenida* with the aura of an African-Brazilian goddess, radiating happiness and sensuality under standing ovation. As the *carnavalesco Joãosinho Trinta* (Top Carnival master and many-time champion) said, last year: *"Her secret of staying at the top for over decade is her elegance."*

To be chosen as the theme for a samba school parade is a national honor. Numerous "themes" have paid tribute to distinguished historic figures. For example, the arrival of Princess Leopoldina at the court of Pedro I, was the theme of the samba school *Imperatriz Leopoldinense*, in 1996.

When in 1997 the samba school *Mocidade Alegre* selected the theme "Hans Donner, the Wizard and his Universe", I became the second Austrian, and the first living foreigner, to be so honored. But that is another story, which I only mention in order to show to what a degree I became involved with Carnival.

Carnaval

Mi relación con el Carnaval forma parte de las experiencias más intensas e importantes de mi vida. Recién llegado al país, asistí a un desfile de las Escuela de Samba, entonces todavía en la Avenida Presidente Antonio Carlos. Pero la experiencia de mayor impacto fue nueve o diez años más tarde; entonces en el Sambódromo, construido en 1984 según proyecto de Oscar Niemeyer (arquitecto de Brasilia). Esta vez, no como simple espectador, sino como participante de la tradicional Escuela de Samba Acadêmicos do Salgueiro, en una de las tantas Alas (sección) organizada por el compositor y cantante Jorge Ben Jor. Vestíamos smoking blanco y corbatín rojo. Alrededor, mujeres superproducidas. En una maravillosa mansión en Laranjeiras, nuestro *meeting point*, ya se festejaba, mientras que seguíamos el desfile en la televisión. De repente, el cielo desató una tremenda tempestad tropical. El Sambódromo se convirtió en un río. Pensé: „Voy a verme como un pingüino blanco arrastrado por la corriente ..." Ya fue una aventura abrirse camino en medio de ese mar de gente y llegarse hasta el lugar designado en el Salgueiro y otra, esperar para entrar en la *Avenida*. Mi primera inolvidable impresión fue la increíble mezcla de gente de todos los colores y procedencias, de ricos y pobres, desde niños hasta ancianas Baianas. Esa mezcla de todas las creencias y razas es una de las más fascinantes características del carnaval y del Brasil en general.

La tensión va creciendo, hasta salir de la concentración a media luz y entrar en la *Avenida* iluminada, es como entrar en el esplendor de una explosión. Al comienzo disimulé unos tímidos pasos de samba delante de aquel público de talvez 80 mil personas, y entre ese esfuerzo y el de cantar, era como empujar un *carro alegórico*. Me quedé sin respiración – a pesar de mi buena condición física de esquiador – pero entonces acontece como algo mágico: el estruendo de la batería dicta el ritmo del latido del corazón de la multitud y todos responden con aquella increíble energía colectiva, integrándose al desfile, saltando y cantando las estrofas del *samba-enredo*. Uno avanza y comienza a fluctuar a lo largo de los setecientos metros de pista (que parecían interminables), como si fuera llevado por la corriente formada por los 4.000 participantes de la Escuela que se compactan por los 7,5 m de anchura de la pista. Allí se capta la razón por la cual desde el más humilde hasta el más importante de los participantes, esperan ese momento durante todo el año: ser princesa, ser reina, ser superstar. Durante ochenta minutos, ser parte de esa emoción colectiva. No hay en el planeta una manifestación de cultura popular que se compare en creatividad, ritmo, danza, pasión, colores, cuerpos, belleza, sensualidad, grandiosidad, densidad.

Hay una, comparable en muchos aspectos, excepto en el ritmo, que es diferente: el Festival de Parintins, realizado en medio de la Floresta Amazónica, en el més de junio.

Después de aquella hora y media de gloria, te sacan rapidamente por las salidas laterales del *Apoteose*. (La plaza de dispersión). Con rostros y cuerpos exhaustos, sudados, la fantasía desconcertada, vuelves a la ruda realidad. Pero, ...*the show must go on* ... y la próxima Escuela ya está entrando en la *Avenida*. Su sueño podrá repetirse sólo el próximo año ...

Ahora imagínense la experiencia vivida al lado de Valeria, a quien acompañé por muchos años en sus desfiles, como estrella de diversas Escuelas de Samba. Aquel cuerpo perfecto color oro-chocolate, decorado con algunas trazas coloridas y purpurina, bailando frenéticamente. La *Globeleza*, la incorporación del Carnaval carioca y brasileño, de sensualidad, aquella total entrega física y emocional, cruzando la Avenida de lado a lado con el carisma de una diosa afro-brasileña, irradiando felicidad y siendo aclamada por la multitud.

Como dice muy apropiadamente el carnavalesco del siglo, *Joãosinho Trinta*: „*El secreto de permanecer en la cumbre por más de una década, es su elegancia.*"

Es una honra nacional ser elegido como tema de una Escuela de Samba. Innumerables „temas" por el estilo, recuerdan muchas personalidades históricas en esa forma. Por ejemplo en 1996, la llegada de la Princesa Leopoldina a la corte de Pedro I, fue tema de la Escuela de Samba del mismo nombre: *Imperatriz Leopoldina.* Cuando en 1997 la Escuela de Samba *Mocidade Alegre*, tomó como tema „Hans Donner, El mago y su universo", se me otorgó ese honor como segundo austriaco y primero en vida. Pero eso es otra historia, que comento para ilustrar mi fuerte vínculo con el carnaval.

Karneval

Meine Beziehung zum Karneval gehört zu den intensivsten und wichtigsten Erfahrungen meines Lebens. Gleich nachdem ich in Brasilien ankam, sah ich einen Umzug der Sambaschulen, damals noch in der *Avenida Pres. Antonio Carlos*. Doch die große Erfahrung ereignete sich erst 9 oder 10 Jahre später: Nun aber auf dem *Sambódromo* (Sambastadion), das 1984 nach dem Projekt des berühmten Architekten Oscar Niemeyer (der Architekt Brasilias) gebaut wurde. Diesmal nicht als Zuschauer, sondern als Teilnehmer der traditionellen Sambaschule *Acadêmicos do Salgueiro*, und zwar in einem der vielen „Flügel" (die Unterteilung der Sambaschule), vom Sänger Jorge Ben Jor organisiert. Wir trugen weiße Smokings mit roten Fliegen und waren umringt von toll gestylten Frauen.

In einer wunderschönen Villa in *Laranjeiras* – wo unser meeting point war – wurde schon gefeiert, während wir den Beginn des Umzuges im Fernsehen verfolgten. Plötzlich ergoss sich ein tropischer Wolkenbruch auf die Paradestrecke und wir schauten zu, wie sich alles in einen Fluss verwandelte. Ich dachte: „*Werde wie ein weißer, in der Strömung verlorener Pinguin aussehen …*" Es war schon ein gewisses Abenteuer, sich den Weg durch das Meer von Schaulustigen bis an die *Salgueiro* zu bahnen und danach noch den uns zugewiesenen Platz unter den 4000 Teilnehmern zu finden. Mein erster starker Eindruck war diese erregende Mischung von verschiedenen Menschen unterschiedlicher Hautfarbe und Herkunft, arm und reich, von Kindern bis zu den alten Baianas (typische Folklorefigur aus Bahia). Dieser Schmelztiegel aller Rassen ist eine der faszinierendsten Eigenschaften des Karnevals und Brasiliens überhaupt.

Die Spannung wächst, das Defilee beginnt und man verlässt den nur mit Straßenlampen beleuchteten Sammelplatz und betritt das lichtdurchflutete *Sambódromo*. Das Licht ist hier so grell, als würde man einer Explosion entgegenschreiten. Am Anfang ahmte ich vor den ungefähr 80.000 Zusehern ein paar schüchterne Sambaschritte nach. Die Anstrengung des gleichzeitigen Tanzens und Singens war so, als würde man einen üppig geschmückten Festwagen (*carro alegórico*) anschieben. Trotz meiner guten physischen Skifahrer-Kondition rang ich nach Luft; aber dann passierte etwas Magisches: Der kraftvolle Trommelschlag der *Bateria* (ca. 20 verschiedene Rhythmusinstrumente, 200-300 Mann stark) vereinte sich mit dem Herzschlag und der Begeisterung der Menschenmenge und jeder wurde von dieser unglaublichen kollektiven Energie, nun verschmolzen mit dem Umzug, mitgerissen. Alle tanzten und sangen das *samba enredo* (Leitlied und -motiv der Sambaschule). Man scheint auf dieser endlos erscheinenden, 700 m langen Piste zu wachsen, man hat das Gefühl, als würde man schweben und von der Strömung der 4.000 Teilnehmer getragen. Da erst versteht man, warum 50.000–60.000 *Cariocas* (darunter ein paar Hundert Ausländer) das ganze Jahr auf diesen Augenblick warten: Prinzessin, Königin, Superstar zu sein, um für 80 Minuten bei dieser kollektiven Emotion mitzumachen. Nirgendwo auf diesem Planeten gibt es einen vergleichbaren Ausdruck populärer Kultur, der sich mit dieser Kreativität, Rhythmus, Tanz, Leidenschaft, Farbe, Schönheit, Sinnlichkeit, Großartigkeit und Dichte messen kann.

(Es gibt wohl eine andere Veranstaltung, die mit dem Karneval von Rio verglichen werden kann, wobei aber der Rhythmus ganz anders ist: Das Festival von *Parintins*, das mitten im Amazonasgebiet jeweils im Juni stattfindet.)

Gleich nach dieser eineinhalbstündigen Pracht wird man so schnell wie möglich durch die seitlichen Ausgänge der *Apoteose* („Zerstreuungs-Platz") abgedrängt. Mit erschöpften, schwitzenden Gesichtern und Körpern und abgenützten Kostümen wird man zurück in die Realität geschleust. Aber … *the show must go on* … die nächste Sambaschule ist schon in die „Bühne" einmarschiert. … Der Traum kann sich frühestens im nächsten Jahr wiederholen ...

Dieses Ereignis hab ich zigmal an der Seite Valerias erleben dürfen. Sie ist in verschiedenen Sambaschulen über viele Jahre als *star-feature* aufgetreten. Dieser perfekte schokoladen-goldene Körper, dekoriert mit ein paar glitzernden, metallpuderfarbigen Mustern und frenetisch Samba tanzend, heißt *Globeleza*, die Verkörperung der Sinnlichkeit des Karnevals von Rio und Brasiliens. Mit totaler physischer und emotionaler Hingabe durchtanzt sie die *Avenida* majestätisch kreuz und quer, von der Menschenmenge bejubelt und wie eine afro-brasilianische Göttin Glück ausstrahlend. Der carnavalesco (Karnevalgestalter und vielmaliger Champion) Joãosinho Trinta sagte letztes Jahr über Valeria: „*Das Geheimnis, das sie seit mehr als einer Dekade an der Spitze hält, ist ihre Eleganz.*"

Als Thema einer Sambaschule gewählt zu werden ist eine nationale Ehre. Unzählige solcher „Themen" zeichneten viele geschichtliche Persönlichkeiten in dieser Weise aus. Zum Beispiel war 1996 die Ankunft der Prinzessin *Leopoldina* am Hof von Pedro I. das Thema der Sambaschule gleichen Namens: *Imperatriz Leopoldinense*.

Als sich 1997 die Sambaschule *Mocidade Alegre* für das Thema „Hans Donner, der Magier und sein Universum" entschied, wurde mir damit als zweitem Österreicher und erstem lebenden Ausländer diese Ehre zuteil (!). Aber das ist eine andere Geschichte, die ich hier nur erwähne, um meine enge Verknüpfung mit dem Karneval zu illustrieren.

Foto: José Carlos Dias

Valéria Vallenssa no
Carnaval

Valéria Vallenssa
no Carnaval

Carnaval, Escola Mangueira

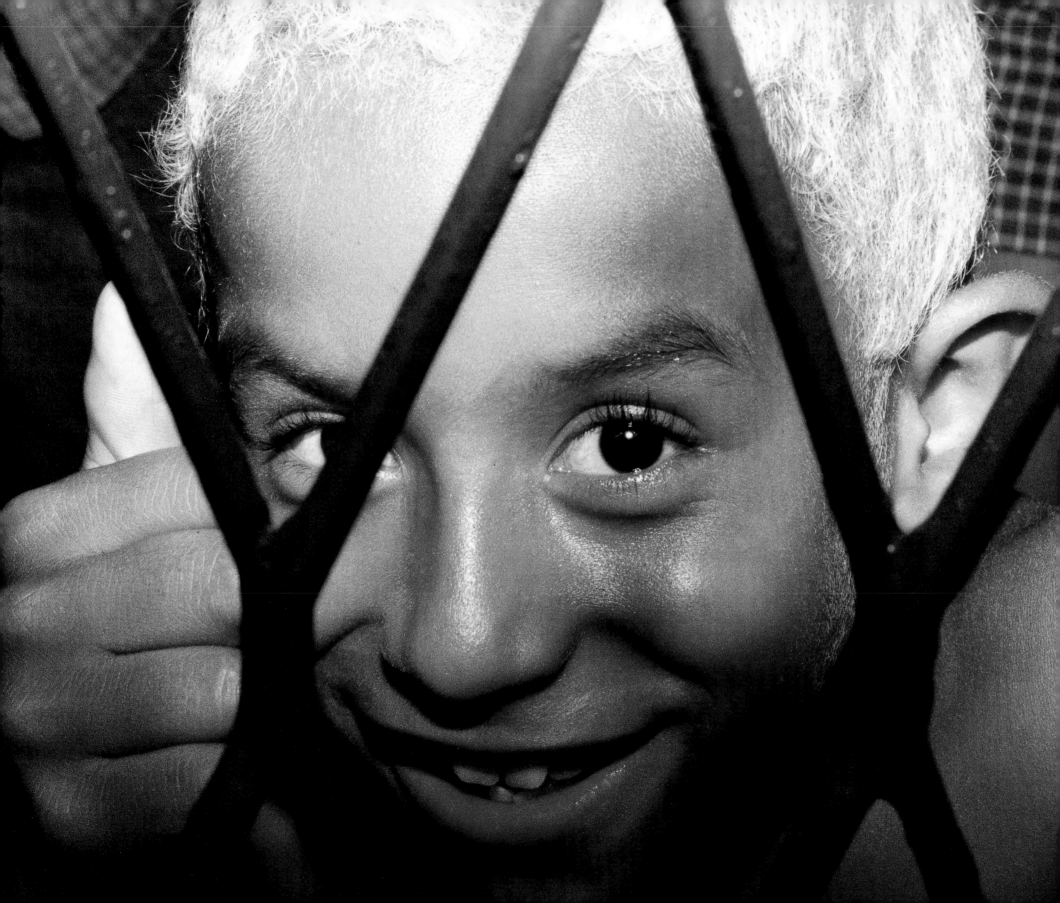

Igreja da Candelária
(1705–1898)

Arcos da Lapa e Convento de Santa-Teresa

Santa Teresa

Largo da Carioca, Petrobrás, Catedral Metropolitana, Convento de Santo Antônio

Brasil Imperial

A invasão de Portugal pelo exército de Napoleão, em 1807, trouxe à pauta da Corte lusa as terras distantes descobertas desde 1500, como ponto de acolhimento da Família Real e seus agregados, que, enfim, aportam no Brasil no ano de 1808.
O Rio de Janeiro transformou-se na sede da Regência Portuguesa, atingindo, em 1815, a condição de „Reino Unido de Portugal, Brasil e Algarve". Um ano depois, no mesmo período em que aqui chegava uma importante Missão Francesa, o Rei D. João VI retoma à terra natal, deixando seu filho Pedro como sucessor. O Rio se embeleza com construções e demais influências artísticas trazidas pelos franceses. Exemplos dessa presença podem ser testemunhados ainda hoje. D. Pedro I casa-se com D. Leopoldina, Arquiduquesa da Áustria, filha do Imperador Francisco I.
Tu Felix Austria, Nube era o lema da Casa de Habsburg, com o objetivo de criar um império onde o sol não se punha, seguindo uma estratégia política de introduzir a dinastia através do casamento, nas principais monarquias européias. De fato, além de pertencer a essa Casa Imperial, que reinou no centro da Europa por muitos séculos, D. Leopoldina era irmã da Imperatriz Maria Luíza, segunda mulher de Napoleão e sobrinha da rainha da França, Maria Antonieta.
Foi pelo casamento, portanto, que essa moça culta chega aos trópicos. Aqui, incentivou as artes (Rugendas, Ender) e as ciências, chegando a exercer forte influência sobre D. Pedro por ocasião da Declaração da Independência, em 1822. Ela faleceu em 1826, aos 29 anos, e historiadores apontam que o fato se deu em circunstâncias misteriosas.
Seu filho, que viria a tornar-se o segundo imperador do Brasil, D. Pedro II, herdaria o interesse pelas ciências, trazendo grandes avanços tecnológicos do mundo para o Brasil, com uma contemporaneidade extraordinária: usinas hidrelétricas, telégrafo, telefone, fotografia, bonde etc. O fato de ter mantido unido um território de dimensões continentais por quase meio século, sem conflitos sérios, falando um só idioma, é outro traço surpreendente desse notável monarca que entregou o poder, sem derramamento de sangue, e acabaria seus dias no modesto Hotel Bedford, em Paris.
A República, proclamada em 1889, não elimina o fato de que o Brasil teve a única monarquia do Novo Mundo reconhecida pela realeza européia. O atual chefe da Casa Imperial do Brasil é D. Pedro Gastão de Orléans e Bragança (que vive no Palácio do Grão-Pará, em Petrópolis, cercado de numerosa família).
No Rio de Janeiro ainda são encontradas edificações da época do Império que merecem ser visitadas, no polígono compreendido entre as Praças XV + Mal. Âncora e a Candelária: Paço Imperial, Museu Histórico Nacional, Espaço Cultural Banco do Brasil e a Casa França-Brasil, fora o Mosteiro de São Bento – do século XVI –, assim como a Confeitaria Colombo e o Theatro Municipal. No interior do Estado há dezenas de fazendas do tempo da Colônia e do Império, as quais, nos anos mais recentes, foram primorosamente reconstruídas.
Há ainda um laço que liga *meus dois países* e que os austríacos não esquecem: depois da II Grande Guerra, com a Áustria ocupada pelos aliados, a defesa brasileira de uma moção junto às Nações Unidas, favorável à devolução do *status* de Nação Soberana à Áustria, foi decisiva para obter o apoio de muitos países ali representados.

Imperial Brazil

In 1808, after Napoleon's army invaded Portugal, the court fled to this remote colony discovered in 1500. Brazil welcomed the royal family and their court. Rio de Janeiro became the seat of the Portuguese Regency and by 1815, part of the "United Kingdom of Portugal, Brazil and Algarve" A year later, at the same time as an important French mission arrived here, King D. João VI returned to his homeland, leaving behind his son Pedro as his successor. Many important constructions and European artistic influences became part of Rio, and *D. Pedro I* married *D. Leopoldina*, Archduchess of Austria, daughter of Emperor Francis I.
With the goal of establishing an empire on which the sun would never set, the House of Habsburg pursued the motto *Tu Felix Austria Nube* (You, happy Austria, marry!) under the political strategy to introduce the dynasty into the major monarchies of Europe. In fact, *D. Leopoldina* didn't just belong to the dynasty who had reigned for centuries in central Europe, she also was the sister of Empress *Marie Louise*, Napoleon's second wife and a niece of the French queen, *Marie Antoinette*. Through her marriage, this well-educated young lady came to the tropics, where she encouraged the arts and sciences. In 1822, she influenced her husband's decision to declare Independence from Portugal. She died in 1826 at the age of 29, historians claim "under mysterious circumstances".
Their son, who was to become Brazil's second emperor, *D. Pedro II*, inherited his mother's interest in science and brought great technological advances from America and Europe such as hydroelectric plants, telegraph, telephone, photography, street cars, etc. The fact that he managed to hold a territory of continental dimensions together for nearly half a century, without serious conflicts and speaking one, nationwide language, is another surprising feature of this remarkable monarch, who handed over the reins of power in 1889, without bloodshed spending his final days at the modest Hotel Bedford in Paris.
The proclamation of the Republic in 1889 does not diminish the fact that Brazil has had the only monarchy in the New World, recognized by European royalty. The current chief of the former Imperial family in Brazil is *D. Pedro Gastão de Orléans e Bragança*. He lives in the palace of *Grão-Pará* in Petrópolis, the former summer residence of the emperor, surrounded by his large family.
Rio de Janeiro offers many buildings from that epoch for visitation. In the area between *Praça XV de Novembro* (ironically, the Date of the Republic), *Praça Mal. Âncora* and the *Candelaria* cathedral, are the *Paço Imperial* (Imperial residence), the National Historic Museum, the first headquarters of the *Banco do Brasil*, one of the most beautiful buildings from the 19th C., *Casa-França-Brasil*, the *São Bento* Monastery, dating from the 16th century, the *Confeitaria Colombo* (a marvelous *belle-époque* tea-room) and the Municipal Theatre, a small version of the Paris Opera. Further inland, there are dozens of colonial farmhouses that in more recent years have been beautifully restored.
Another link between my two countries, never to be forgotten by Austrians, is the fact that after the Second World War, when Austria was still occupied by the Allies, Brazil's vote at the United Nations, in favor of returning the status of *Sovereign Nation* to Austria helped to obtain the needed majority.

Brasil Imperial

Por causa de la invasión de Portugal por el ejército de Napoleón, la Corte portuguesa escapó a lejanas tierras descubiertas desde 1500, como lugar de refugio de la Familia Real y sus cortesanos, en el año 1808. Río de Janeiro se transformó en la sede de la Casa Real de Portugal, pasando en 1815, a Reino Unido de Portugal, Brasil y Algarves. Un año más tarde, en el mismo período en que llegaba aquí una importante Misión Francesa, el Rey Juan VI regresaba a su tierra natal, dejando como sucesor a su hijo Pedro.

Río se embellece con construcciones y demás influencias artísticas traídas por los franceses. Don Pedro I contrajo matrimonio con Leopoldina, Archiduquesa de Austria, hija del Emperador Francisco I. *Tu felix Austria, Nube*, era el lema de la Casa de Habsburgo, con el objetivo de crear un imperio donde el sol nunca se oculte, siguiendo una estrategia política de ampliar la dinastía por medio de matrimonios, en las principales monarquías europeas. En efecto, además de pertenecer a esta casa imperial que reinó en Europa Central por muchos siglos, Leopoldina además, era hermana de la Emperatriz Maria Luisa, segunda mujer de Napoleón y sobrina de la reina de Francia, Maria Antonieta. El matrimonio fue también el motivo de esta culta princesa de llegar hasta estas tierras tropicales. Aquí fomentó el arte y las ciencias. Ejerció una fuerte influencia sobre Pedro I en la proclamación de la Independencia del Brasil en el 1822. Falleció en 1826, apenas a la edad de 29 años y los historiadores afirman que en circunstancias misteriosas.

Su hijo, el segundo Emperador de Brasil, Pedro II, heredó el interés por las ciencias, trayendo grandes avances tecnológicos al Brasil con una contemporaneidad extraordinaria: fábricas hidroeléctricas, telégrafo, teléfono, fotografía, tranvía, etc. El hecho de haber mantenido unido, sin serios conflictos, un territorio de dimensiones continentales por casi medio siglo, hablando sólo un idioma y sobretodo el hecho de haber entregado el poder sin derramamiento de sangre, son capítulos gloriosos en su vida. Acabaría sus días en el modesto Hotel Bedford en París.

La República proclamada en 1889, no elimina el hecho de que Brasil tuvo la única monarquía en el Nuevo Mundo reconocida por la realeza europea. El actual jefe de la Casa Imperial de Brasil es Pedro Gastão de Orleáns y Bragança, que vive en el Palacio del *Grão Pará* en Petrópolis, (antigua residencia del Emperador, a 65 km. de Río), rodeado de su numerosa familia.

Río tiene una serie de edificaciones de la época del imperio en el polígono comprendido entre las Plazas XV de Noviembre (irónicamente: Día da República), la Plaza *Mal. Âncora* y la Candelaria: el *Paço Imperial*, Museo Nacional de Historia, la primera sede del Banco de Brasil (desde hace 150 años uno de los más hermosos edificios del país), y la *Casa França Brasil*; el Monasterio de San Benito del siglo XVI, así como también la Cafetería Colombo y el Teatro Municipal, una pequeña copia de la Ópera de París. En el interior del Estado hay docenas de haciendas del tiempo de la colonia y del imperio, que en años recientes fueron reconstruidas conforme al original. Existe aún un lazo de amistad que une mis dos países, y que los austriacos no olvidan: Después de la Segunda Guerra Mundial, Austria fue ocupada por los aliados. El apoyo de Brasil dada a una petición ante las Naciones Unidas, de considerar nuevamente Austria como Nación Soberana, fue decisivo para obtener el apoyo de los demás países allí representados.

Kaiserliches Brasilien

Infolge der Besetzung Portugals durch die Truppen Napoleons floh der portugiesische Hof 1808 in diese ferne Kolonie, die 1500 entdeckt worden war. Rio de Janeiro wurde der Sitz der portugiesischen Regentschaft; 1815 wurde Brasilien zum „Vereinigten Königreich von Portugal, Brasilien und Algarve" erhoben. Ein Jahr später, zur gleichen Zeit, als eine wichtige französische Mission in Brasilien ankam, kehrte König *D. João VI.* in sein Heimatland zurück und ließ seinen jungen Sohn Pedro als Nachfolger in Brasilien zurück. Rio wurde durch imposante Bauten und viele künstlerische Einflüsse der Franzosen bereichert. Die kulturellen Institutionen aus jener Zeit, von denen die meisten heute noch existieren, verliehen diesem tropischen, von Indianerstämmen besiedelten Land eine intellektuelle Prägung. Don Pedro I. heiratete *D. Leopoldina*, Erzherzogin Österreichs, Tochter des Kaisers Franz I.

Mit dem Ziel, ein Imperium zu schaffen, in dem die Sonne nie unterging, folgte das Haus Habsburg der Devise *Tu Felix Austria Nube*. Die politische Strategie war, sich mittels dynastischer Eheschließungen in die Hauptmonarchien Europas einzuheiraten. Tatsächlich gehörte *D. Leopoldina* nicht nur dem kaiserlichen Haus an, das viele Jahrhunderte in Mitteleuropa regierte, sondern sie war auch die Schwester der Kaiserin *Marie Louise*, der zweiten Frau Napoleons und Nichte der französischen Königin *Marie Antoinette*. Durch diese Eheschließung kam dieses gebildete Mädchen in die Tropen. Hier förderte sie die Kunst und die Wissenschaften. An der Seite von *D. Pedro I.* übte sie einen entscheidenden Einfluss hinsichtlich Brasiliens Unabhängigkeitserklärung von Portugal im Jahr 1822 aus. 1826 starb sie im Alter von 29 Jahren unter mysteriösen Umständen, wie manche Historiker behaupten.

Ihr Sohn wurde zum zweiten Kaiser Brasiliens gekrönt. *D. Pedro II.* erbte das Interesse seiner Mutter für die Wissenschaften und veranlasste, dass große technologische Fortschritte nach Brasilien gebracht wurden: Wasserkraft, Telegrafie, Telefon, Fotografie und Straßenbahn, um nur einige zu nennen. Die Tatsache, dass D. Pedro ein Territorium von kontinentaler Dimension ein halbes Jahrhundert lang ohne ernsthafte Konflikte und mit einer einzigen vorherrschenden Sprache zusammenhalten konnte, war eine weitere besondere Leistung dieses bemerkenswerten Monarchen. Er gab seine Macht 1889 ohne Blutvergießen ab und verbrachte seine letzten Tage in dem bescheidenen Hotel Bedford in Paris.

Obwohl Brasilien 1889 die Republik ausrief, ist die historische Tatsache von Bedeutung, dass Brasilien als einzige Monarchie des amerikanischen Kontinents in Europa anerkannt worden war. Das heutige Oberhaupt des ehemaligen kaiserlichen Hauses Brasiliens ist *D. Pedro Gastão de Orléans e Bragança*, der im Palast *Grão-Pará* in Petrópolis (frühere Sommerresidenz des Kaisers, 65 km von Rio entfernt), umgeben von seiner großen Familie, lebt.

Rio de Janeiro besitzt eine Reihe von Bauten der kaiserlichen Epoche. In der Gegend zwischen dem Platz des XV. November (ironischerweise: Tag der Republik), dem Platz *Mal. Âncora* und der *Candelaria*-Kirche befinden sich der *Paço Imperial* (Kaiserliche Residenz), das *Museu Histórico Nacional*, der erste Hauptsitz der *Banco do Brasil* (seit 150 Jahren eines der schönsten Gebäude Brasiliens), *Casa França-Brasil*, das Kloster *São Bento* (XVI. Jhdt.), die *Confeitaria Colombo* und das Stadttheater, eine Kleinausgabe der Pariser Oper. Im Landesinneren gibt es Dutzende Landgüter mit Kolonialsitzen, die in den letzten Jahren originalgetreu restauriert wurden.

Es existiert noch eine Verbindung zwischen meinen beiden Heimatländern, die die Österreicher nicht vergessen: Nach dem Zweiten Weltkrieg, als Österreich noch von den Alliierten besetzt war, hat Brasiliens Entscheidung in den Vereinten Nationen, Österreich wieder als souveräne Nation anzuerkennen, viele Länder dahingehend beeinflusst, zugunsten Österreichs zu stimmen.

Teatro Municipal

Marina da Glória, Centro

Mosteiro de São Bento (1617)

Marina Glória

Aterro do Flamengo e Pão de Açúcar

Igreja da Glória (1739)

Botafogo, Copacabana

Leblon, Ipanema

Ipanema, Arpoador

Arpoador, Copacabana

Ipanema, Leblon

O Carioca

Sempre me perguntam o que diferencia um brasileiro de um alemão. Costumo então comentar a diferença entre um alemão e um austríaco, a mesma coisa para a maioria dos brasileiros. Não é bem assim. E quem explicou com muita propriedade essa diferença foi o Emerson Fittipaldi, primeiro brasileiro campeão mundial na Fórmula Um, para quem um austríaco é uma espécie de ,,mistura de alemão com brasileiro''.

O carioca, então, é a síntese das misturas do Brasil: é o mais descontraído, divertido, de bem com a vida. A carioca ... dispensa comentários. Tudo isso, evidentemente, tem a ver com o meio em que o carioca vive. Essa beleza, esse show da natureza, o mar, as montanhas, a floresta, as mulheres, o clima – sim, 325 dias de céu azul são, por si só, um prazer da vida; por isso, não é de admirar que o carioca viva intensamente o dia-a-dia. A praia ensina um estilo de vida, de liberdade, que norteia o carioca até a terceira idade.

As multidões que passeiam nas pistas reservadas para o pedestre aos domingos – do Parque do Flamengo até o final do Leblon – são um espetáculo à parte. A temperatura amena e o calor levam o carioca a passar seu tempo de lazer ao ar livre, com pouca roupa, seja na areia, na *pelada*, no barzinho da esquina, na calçada ou na varanda, tomando seu chopinho gelado e vendo, vivenciando aquele ,,doce balanço'' da *Garota de Ipanema,* imortalizada pela composição do maestro Tom Jobim, com os versos do ,,poetinha'' Vinícius de Moraes. Foi meu grande amigo e exímio fotógrafo David Zingg quem deu o toque inicial para a histórica apresentação do Tom no Carnegie Hall (NYC), na década de 60. A conseqüência foi a famosa gravação com Stan Getz, até hoje um *hit* mundial e que levou a bossa nova aos quatro cantos da Terra. Comparado a outras latitudes com invernos rigorosos, o estilo de vida no Rio é admirável, saudável, difícil de ser igualado. O carioca vive inventando moda, curte a vida, vibra com o futebol, o samba e o pagode. Nunca esquecerei a declaração de um conhecido jornalista do maior jornal da Alemanha quando o levei ao pagode que freqüento. Embalado pelo suave ritmo do som e da dança das moças tostadas de sol, chegando da praia de biquíni e canga, a alegria, os sorrisos estampados nos rostos, a cervejinha, a caipirinha, o churrasquinho, o verde das figueiras, ele exclamou: ,,... se fosse morrer agora, escolheria um paraíso assim ...''

O estilo carioca de viver explica a principal diferença em relação aos oriundos de outras regiões do Brasil e do Planeta. Os ingredientes do Rio, sua tolerância, sua aceitação do diferente, sua vocação para o prazer e sua abertura de mente e espírito fazem a quem adota esta Cidade render-se ao seu encanto, integrar-se ao seu povo: *VIRAR CARIOCA*.

The *Carioca*

I have often been asked what the difference is between a Brazilian and a German, when I usually prefer to comment on the difference between Germans and Austrians, by recalling the explanation of Emerson Fittipaldi (first Brazilian Formula I champion): *"An Austrian is something like a mixture of a German and a Brazilian."*
A (he) carioca is a synthesis of the mixtures of Brazil: he is relaxed, funny and satisfied with life. The *she*- carioca ... indescribable.
And that, evidently, has to do with the environment in which the *carioca* lives. The overwhelming beauty, the show of nature, the sea, the mountains, the forest, the women, the climate. Yes, 325 days of blue skies alone make life pleasant. The beach imparts a free life-style that the carioca pursues way into old age. It's no wonder, that the carioca lives an intense day to day, well into his old age.
The crowds that go strolling along the pedestrian zone from *Flamengo* Park to the end of Leblon, every Sunday, are a spectacle in itself. The warm temperature lures the carioca outdoors, wearing as little clothing as possible, whether on the beach, playing soccer or volleyball, at the street corner pub or on the sidewalk. Drinking extremely cold beer, they watch and experience the seductive swaying hips of the *Garota de Ipanema*, turned immortal through the composition of Tom Jobim and the lyrics of Vinicius de Moraes.
A very good friend of mine and top photographer, David Zingg, helped Jobim to his historic concert at the Carnegie Hall in the sixties and which resulted in the he famous recording of *The Girl from Ipanema* with Stan Getz, still today a world-wide hit. Compared with other latitudes, the lifestyle in Rio is unique and healthy. The carioca constantly invents new fashions, savors life, thrills at the soccer games and samba.
I'll never forget what a well-known journalist from one of Germany's biggest newspapers once said when I took him to a *pagode*, a kind of samba jam session, with dancing. Lulled by the soft and gentle rhythms, by the swing of sun-tanned girls in bikinis and *kangas* coming directly from the beach, their smiling enjoyment, the beer and the *caipirinha* (Brazil's national cocktail with cane liquour, lime and sugar) the barbecue, the green fig trees, he said: *"... if I were to die right now, this is the way I'd like paradise to be ..."*
It's the carioca's life-style that is the principal difference between Brazil's other regions and the rest of the world. Rio's effective ingredients are: its tolerance, its acceptance of differences, its calling for what is pleasurable and its open-minded spirit; who soever adopts this city and surrenders to its charm is welcome. Instead of isolating into segregated communities, as happens in most of the world's megalopolis, here, foreigners turn into *Cariocas*. To be a carioca is a philosophy, an art of living, a religion.

El *Carioca*

Siempre me preguntan en que se diferencia un brasileño de un alemán. Por lo general, prefiero comentar la diferencia entre un alemán y un austriaco. Y quien la explicó con mucha propiedad, fue Emerson Fittipaldi (Primer campeón Mundial de F1 brasileño), para el cual un austriaco es una especie de ,,mezcla de alemán con brasileño''.

El *Carioca*, por lo cual, es una síntesis de mezclas del Brasil: es relajado, divertido y satisfecho de la vida. La *Carioca* ... indescriptible!

Todo esto, evidentemente, tiene que ver con el medioambiente en el cual vive el Carioca. Esa belleza, ese espectáculo de la naturaleza, el mar, las montañas, la floresta, las mujeres, el clima, casi seguro 325 días de cielo azul, son ya en sí un placer y por eso no es de admirar, que el Carioca viva intensamente de día. La playa enseña un estilo de vida, de libertad que guía al Carioca hasta su tercera edad.

Es un espectáculo a parte, las multitudes que pasean los domingos en las avenidas reservadas para los peatones – desde el parque *Flamengo* hasta el final del *Leblon*. La suave temperatura o el calor, llevando los Cariocas a pasar su tiempo de relajamiento al aire libre, con poca ropa, sea en la playa, o jugando fútbol o voleybol, o en la bodeguita de la esquina, en la calle o en el balcón, bebiendo su cervecita muy helada y observando el dulce balanceo de la *Garota de Ipanema*, inmortalizada en la composición del maestro Tom Jobim, con los versos de Vinicius de Moraes. Fue mi gran amigo y excelente fotógrafo David Zingg, el que dió el toque inicial para la histórica presentación de Tom en el Carnegie Hall en Nueva York en la década de los sesenta y que tuvo como secuencia la famosa grabación con Stan Getz de *The Girl from Ipanema*, hasta el día de hoy un hit mundial y que llevó la *Bossa Nova* a los cuatro puntos cardinales de la tierra.

Comparando otras regiones con sus inviernos, el estilo de vida en Rio es admirable, saludable, difícil de ser igualado. El Carioca vive inventando modas, disfruta la vida, vibra con el fútbol, la Samba y el pagode (un espécie *karaoké* local, bailable). Nunca olvidaré la declaración de un conocido periodista del mayor diario de Alemania cuando lo llevé a un pagode, cerca de mis casa. Encantado por el suave ritmo de la música y de la danza de las niñas bronceadas por el sol, aún en bikini y tanga de playa, sus rostros alegres y sonrientes, la cerveza, la caipirinha, el verde de las higueras, el cielo azul, él exclamó: ,,... *si tuviera que morir ahora, escogería un paraíso semejante* ...''

El estilo carioca de vivir, explica la principal diferencia en relación con oriundos de otras regiones de Brasil y del planeta. Las cualidades de Río, su tolerancia, su aceptación para lo diferente, su vocación para el placer y su abierta mente y espíritu, hacen del que adopta esta ciudad, rendirse a su encanto, integrarse en lugar de aislarse – como sucede en la mayoría de las metrópolis del mundo – y se convierte en Carioca! Ser Carioca es una filosofía, un estilo vida, un arte del vivir, una religión.

Der *Carioca*

Immer wieder werde ich gefragt, was der Unterschied zwischen einem Brasilianer und einem Deutschen ist. Und ich ziehe es vor, den Unterschied zwischen einem Deutschen und einem Österreicher zu beschreiben, und zwar laut Erklärung von Emerson Fittipaldi, dem ersten brasilianischen Formel-1-Weltmeister: *,,Ein Österreicher ist eine Mischung aus einem Deutschen und einem Brasilianer.''*

Der *Carioca* ist die Synthese aller brasilianischen Mischungen: Locker, lustig, humorvoll, zufrieden mit dem Leben. Die *Carioca* ... unbeschreiblich!

Und dies alles hat offensichtlich mit dem Lebensstil des Cariocas zu tun. Die Schönheit der Natur, das Meer, die Berge, der Wald, die Frauen, das Klima. 325 Tage blauer Himmel im Jahr machen das Leben zu einem Vergnügen. Man braucht sich daher nicht zu wundern, dass der Carioca tagsüber intensiv lebt. Der Strand lehrt ihm einen freien Lebensstil, den der Carioca bis ins hohe Alter führt.

Die Menschenmenge, die jeden Sonntag in der Fußgängerzone vom Flamengo-Park bis ans Ende von Leblon spaziert, ist ein Spektakel für sich. Bedingt durch die warmen Temperaturen verbringt der Carioca seine Freizeit hauptsächlich im Freien, meist leicht bekleidet, sei es am Strand, beim Fußball oder Volleyball spielen, in der Kneipe an der Ecke oder auf dem Gehsteig. Er trinkt ,,irrsinnig'' kaltes Bier, beobachtet und ergötzt sich an dem süßen Hüftschwingen der *Garota de Ipanema*, unsterblicher Evergreen des Maestros Tom Jobim mit den Versen von Vinicius de Moraes. Ein großer Freund von mir, Topfotograf David Zingg, hat in den sechziger Jahren den Anstoß zum historischen Tom-Jobim-Konzert in der Carnegie Hall in New York gegeben. Aus dieser Aufführung entstand nachträglich die Aufnahme von *The Girl from Ipanema* mit Stan Getz, ein Hit bis heute, der den *Bossa nova* um die Welt brachte.

Verglichen mit anderen Breitengraden ist der Lebensstil in Rio gesund und unvergleichlich. Der *Carioca* erfindet täglich neue Trends, genießt das Leben, findet Fußball und Samba aufregend. Ich werde nie die Aussage eines bekannten Journalisten einer der größten Zeitungen Deutschlands vergessen, als ich ihn zum *Pagode* (eine Art Samba-Jamsession mit Tanz) mitnahm. Umschmeichelt von dem verführerischen Klang der Musik und dem sanften Rhythmus der tanzenden, sonnengebräunten Mädchen, die in Bikinis mit *Kangas* und freudigem Lächeln in ihren Gesichtern direkt vom Strand ankamen, von Bier, *Caipirinha*, grünen Feigenbäumen, blauem Himmel und glitzerndem Wasser angeheitert, machte er die Bemerkung: *,,Sollte ich in diesem Moment sterben, würde ich mir das Paradies so wünschen.''*

Es ist der Lebensstil der *Cariocas*, der den größten Unterschied zwischen Brasilien und dem Rest der Welt ausmacht. Rios erfolgreiche Zutaten: seine Toleranz, seine Anerkennung des Verschiedenseins, seine Bejahung der Lebensfreude und sein offener Geist. Diejenigen, die diese Stadt annehmen und sich ihrem Zauber hingeben, sind der Aufnahme in Rio gewiss und anstatt sich abzusondern – so wie es in den meisten Metropolen der Welt zu sehen ist – werden alle zu *Cariocas! Carioca* sein ist eine Philosophie, eine Lebensart, eine Lebenskunst, eine Religion.

Ipanema, Morro dois Irmãos

Mamao
Coco
Abacaxi, Limão, Maracujá

A Magia do Rio

Além dos bairros mais conhecidos ao longo da orla marítima, há no Rio uns recantos com magia própria.

Vamos começar nosso passeio pelo Centro, mais precisamente na Lapa, o Rio da gema, o Rio do século XIX, dos Arcos que levam o último bondinho da Cidade à boêmia de Santa Teresa – nosso *Montmartre*, onde residem muitos artistas plásticos – e de onde a vista de quase toda a Baía de Guanabara só é superada do topo do Cristo Redentor. É o distrito da gafieira do Cordão Bola Preta, da Estudantina, casa de dança de salão e botequins onde nasceram muitos sambas com violão e caixinhas de fósforos.

O bairro, que está em plena fase de renascimento, abriga alguns dos restaurantes mais antigos e famosos da Cidade, com dezenas de novos bares surgindo dos velhos sobrados restaurados, constituindo um corredor charmoso e saudosista. Bem na beiradinha do centro arquitetônico moderno, da catedral e de grandes edifícios, sede de empresas estatais, erguidos onde outrora era morro, o qual virou Aterro do Flamengo. Seguimos para a Urca, aquela moldura em volta do Pão de Açúcar. Sua avenida à beira da baía mantém, intacto, seu charme, contrastando com as demais praias, que vão até a Barra da Tijuca e que ostentam tantos edifícios modernos e altos. A Urca foi defendida por seus moradores contra a especulação imobiliária. Conseguiu preservar suas pracinhas, as árvores frondosas e o perfil estritamente residencial. A Pista Cláudio Coutinho, para ciclistas, acaba na Praia Vermelha, onde o visitante, rodeado somente de natureza, nem percebe que está no Rio de Janeiro.

Não que tenha sido sempre assim. O Cassino da Urca pertence à época áurea do Rio, ao tempo do *glamour*, da roleta, do baccarat, dos shows de Carlos Machado, suas famosas vedetes e seus ilustres freqüentadores. A Urca sobreviveu ao ,,progresso'' desenfreado registrado em outros bairros da cidade e continua uma encantadora ,,ilha de tranqüilidade'', oferecendo um ponto de vista incomum para toda a baía de Guanabara.

Continuando nosso caminho em direção à Lagoa, passamos por um minúsculo beco no Cosme Velho, que esconde o lugar mais bucólico do Rio: o Largo do Boticário, um conjunto de meia dúzia de casas coloniais, que mais parecem compor um cenário para filmagem do que um lugar onde efetivamente residem alguns poucos afortunados. Alcançando a Lagoa Rodrigo de Freitas através do túnel Rebouças, a mudança é radical. Muitas cidades têm seu lago, seu rio, mas aquele espelho d'água, entre o pé da serra da Carioca e o mar, é único. A Lagoa tem o formato perfeito de um coração, símbolo do amor. À noite, com todas as luzes a sua volta, refletidas na água, inclusive o Cristo alaranjado, não há visual que supere o da Lagoa. Não é à toa que seus quiosques, com centenas de mesinhas e cadeiras, vivem lotados, depois de seu anel servir, o dia todo, de *playground* concorrido por crianças, de pista para andantes e praticantes de *cooper* e ciclistas.

Mas, tomar um drinque olhando para a garça que sobrevoa a lagoa e para sua moldura formada pela cadeia do morro Dois Irmãos, da Pedra da Gávea, do Sumaré até o Cristo Redentor, só mesmo o Pai Dele para criar um conjunto de tamanha beleza!

The magic of Rio

Besides the better-known districts along the beachfront, there are many hidden districts with their own magic.

We'll begin with a stroll through the center, more precisely, in *Lapa*, 19th Century Rio, with its aqueduct carrying the last streetcar to the bohemian *Santa Teresa* district– our *Montmartre*, home of many artists – and where the view over *Guanabara* Bay is only beaten by that from the summit of *Corcovado*. *Lapa* is the district of dance-saloons and pubs, where many famous sambas were composed on guitar and matchbox all located at the edge of the modern-architecture center, with its cathedral and skyscrapers, headquarters of government-owned companies such as Petrobras and BNDES.

We stroll on towards *Urca*, the district surrounding the Sugarloaf and its charming avenue at the edge of the *Botafogo* bay. It is a strong contrast to other beaches that extend as far as *Barra da Tijuca*, filled with high-rise buildings. *Urca* has been preserved by its inhabitants against realtors; its homesteads and huge trees have been retained, thereby keeping its strict residential profile.

It wasn't always that way. The *Urca* Casino is from Rio's Aurea epoch. The era of glamour, of roulette, baccarat, Carlos Machado's shows with their famous cabaret dancers and illustrious visitors (such as Orson Welles and Rita Hayworth). *Urca*, unlike many other city districts, has survived the unstoppable march of ''progress'' and continues to be an enchanting isle of peace, offering a unique view toward *Guanabara* Bay and the 13 km Rio-Niteroi bridge.

Continuing towards the *Rodrigo de Freitas* lagoon we pass through *Cosme Velho* and its *Largo do Boticario* with its fully preserved 19th Century charm.

Reaching the lagoon through the *Rebouças* tunnel there's a radical change. The wide open, heart-shaped lake, surrounded by the *Serra da Carioca* mountains on one side and the thin strip of beach (Ipanema) dividing it from the Atlantic is truly unique. At night, it reflects the string of lights, including the orange-hued Christ statue. Thus, after serving as playground for children, joggers and cyclists, at night the entire area becomes a lounge with dozens of kiosks serving beer and snacks. Sipping a drink here, observing a heron flying over the lagoon, framed by the chain of the hills: *Dois Irmãos, Pedra da Gavea* and *Sumaré* all the way to the Christ, you conclude that only His Father could have created such an overwhelming beauty.

La magia de Rio

Además de los conocidos barrios a lo largo de su orilla, hay en Río lugares menos destacados con su propia magia.

Vamos a comenzar nuestro paseo por el Centro, más precisamente en el barrio *Lapa*, del Río del siglo XIX, con su viaducto de agua y sus rieles que lleva el último tranvía de la ciudad a la bohemia Santa Teresa – nuestro *Montmatre*, donde viven muchos artistas – y desde donde se tiene la vista sobre casi toda la bahía de Guanabara, superada sólo por la que se tiene desde el *Cristo Redentor*. Es el barrio de la *Gafieira do Cardão Bola preta*, de la *Estudantina* (salones de danza) y tabernas, donde nacieron muchas sambas al sonido de cajitas de fósforos y guitarra.

El barrio, que está en plena fase de renacimiento, abriga algunos de los más antiguos y famosos restaurantes de la ciudad y docenas de nuevos bares que surgieron de viejas construcciones recuperadas, constituyendo una galería llena de nostalgia, bien al margen del centro arquitectónico moderno con su catedral y grandes edificios, sede de empresas estatales como, Petrobras y BNDES.

Continuamos hacia Urca, aquel anillo alrededor del *Pão de Açúcar*. Su avenida a orillas de la bahía conserva intacto su encanto, en contraste con las demás playas que van hasta la *Barra da Tijuca* con sus hileras de altos edificios. Urca fue defendida por sus habitantes contra la especulación inmobiliaria, conservando sus pequeñas playas, sus frondosos árboles y su aspecto estrictamente residencial.

No es que haya sido siempre así. El Casino de Urca pertenece a la época áurea de Río, a la época del Glamour, de la ruleta, del bacará, de los shows de Carlos Machado con sus famosas vedettes y ilustres visitantes (como Orson Welles y Rita Hayworth). Urca sobrevivió al „progreso" desenfrenado registrado en otros barrios de la ciudad y continúa siendo una encantadora „isla de tranquilidad", ofreciendo un singular punto de vista de la bahía de Guanabara y el gran puente Río-Niteroi.

Continuando nuestro camino en dirección hacia la Laguna *Rodrigo de Freitas*, pasamos por *Cosme Velho*, que esconde el lugar más bucólico de Río: El minúsculo *Largo do Boticário*, con su conjunto de media docena de casas coloniales y que más se parece a un escenario para películas. Alcanzando la Laguna Rodrigo de Freitas, a través del túnel *Rebouças* de 3 km de largo, el cambio es radical. Muchas ciudades tienen su lago, su río, pero aquel espejo de aguas entre el pié de la *Serra da Carioca* y el mar, es único. La laguna tiene la forma perfecta de un corazón y su vista en la noche, con las luces a su alrededor reflejadas en el agua, incluso el Cristo anaranjado, supera cualquier otro paisaje. No por nada, sus espacios que por la mañana sirven de lugar para los niños y practicantes de jogging y ciclismo, de noche, sus quioscos y centenares de mesitas, están siempre llenos. Tomar un trago, observar la garza que vuela sobre la laguna, cuya línea está formada por los montes que la rodean: *Dois Irmãos*, *Pedra da Gávea*, *Sumaré* hasta el *Cristo Redentor* se entiende el porqué de solamente el Padre de Él pudo criar un conjunto de tanta belleza!!

Die Magie von Rio

Neben den bekannten Stadtteilen entlang dem Meer gibt es in Rio auch versteckte Viertel mit eigener Magie.

Unser Spaziergang führt uns zuerst ins Zentrum Rios, genauer gesagt in den Stadtteil *Lapa*, dem Rio des 19. Jahrhunderts mit seinem berühmten Wasserviadukt, über den Rios letzte Straßenbahn in Richtung Santa Teresa fährt. Santa Teresa ist Rios *Montmartre*, wo viele Künstler leben – und von wo der Ausblick auf die Bucht von Guanabara nur vom Corcovado überboten wird. Es ist das Viertel der Tanzsäle und Kneipen, wo auf Streichholzschachteln und Gitarren viele bekannte Sambas entstanden. *Santa Teresa* und *Lapa* beherbergen einige der traditionellsten Restaurants der Stadt und viele alte restaurierte Gebäude sind nun Bars und Kneipen.

Angrenzend befindet sich das moderne Zentrum mit der Kathedrale und seinen Hochhäusern, Sitz der großen staatlichen Unternehmen wie Petrobras und die Entwicklungsbank BNDES. Von dort fahren wir weiter Richtung *Urca*, ein schmaler Landstreifen, der sich halb um den Zuckerhut zieht. Die Avenue entlang der Bucht ist mit ihren traditionellen Residenzen in ihrem ursprünglichen Charakter erhalten. Im Gegensatz dazu wurden die Strände bis hinaus zur *Barra da Tijuca* mit modernen Hochhausreihen verbaut. Die Einwohner von *Urca* haben es fertig gebracht, ihr Viertel gegen skrupellose Immobilienspekulation zu verteidigen. *Urca* hat seine Innenhöfe, seine Plätze mit großen Bäumen und somit seinen strengen residenziellen Charakter bewahrt. Umgeben von der ruhigen Natur fühlt man sich hier nicht wie in einer Metropole.

Doch das war wohl nicht immer so: Das einst bekannte *Casino da Urca* gehört der Goldenen Epoche von Rio an. Es war die Zeit des Glamours, des Roulette, des Baccarat, der Shows von Carlos Machado mit seinen berühmten Tänzerinnen und illustren Besuchern (wie Orson Welles, Rita Hayworth). Urca ist heute eine zauberhafte Insel der Ruhe, die einen einzigartigen Ausblick Richtung Bucht von *Guanabara* und der großen Rio-Niteroi-Brücke bietet.

Bei unserer Rundfahrt Richtung Lagune *Rodrigo de Freitas* kommen wir am *Cosme Velho* vorbei, wo der winzige Platz namens *Largo do Boticário* zu erreichen ist: Eine absolut idyllische Oase, mit sechs Kolonialhäusern, die eher wie eine Filmkulisse wirken. Durch den fast 3 km langen *Rebouças*-Tunnel erreichen wir die Lagune *Rodrigo de Freitas*, deren erster Anblick beim Verlassen des Tunnels jedes Mal absolut atemberaubend ist. Viele Städte haben Seen und Flüsse, aber diese herzförmige Lagune zwischen der Gebirgskette *Serra da Carioca* und dem Meer ist einzigartig. In der Nacht spiegeln sich Lichter rund um das Wasser, inklusive des orange beleuchteten Christus am Corcovado. Die Parks rund um die Lagune sind untertags ein Paradies für Kinder, Jogger und Radfahrer. In der Nacht sind die Kiosk-Bars stark frequentiert. Man nimmt einen Drink, beobachtet einen Reiher, der die Lagune überfliegt, genießt den einzigartigen Anblick der Hügelkette, die aus dem Meer aufsteigt – *Dois Irmãos*, *Pedra da Gavea*, *Sumaré* bis zum Christus auf dem Corcovado – und kommt zum Schluss, dass nur „Sein Vater im Himmel" ein derart wunderbares Ensemble schaffen konnte!

Lagoa Rodrigo de Freitas

Lagoa Rodrigo de Freitas, Corcovado

Corcovado, Lagoa Rodrigo de Freitas, Hipódromo

Corcovado, Cristo Redentor

Jardim Botânico

Orquídea

Praia do Leblon

Ciclovia

A Natureza do Rio

Não bastasse a localização do Rio à beira-mar, com suas praias maravilhosas, emolduradas por uma cadeia de montanhas, a Cidade ainda é abençoada com a maior floresta ,,urbana'' do mundo (Parque Nacional da Tijuca: 3.300 ha), um pedaço considerável da Mata Atlântica. Em plena cidade de mais de 10 milhões de habitantes, uma verdadeira selva virgem, onde todo ano *trekkers* se perdem e precisam ser resgatados pelo Corpo de Bombeiros. Tive o privilégio de morar, por 20 anos, no bairro chamado Jardim Botânico. Todos os dias, meu *jogging* consistia em subir do Horto, passando pela Vista Chinesa, até a Mesa do Imperador, onde fazia meus exercícios para manter a forma (e poder esquiar quando vou à Áustria.). D. Pedro I fazia piqueniques ali; invariavelmente me lembrava sua mulher (minha conterrânea), a Imperatriz Leopoldina. Que desconforto devia sentir com todas aquelas roupas da época! ... Contudo, até de calção de banho pode-se passar por um constrangimento – foi o que me aconteceu, num dia 31 de dezembro. Caiu uma chuva como só acontece nos trópicos. A água era tanta que a estrada virou um rio bravo e precisei segurar o calção, que a força daquele aguaceiro estava a fim de arriar, bem na hora em que um ônibus cheio de turistas parou no local para ver a "Vista Chinesa", naquele momento inexistente, claro.

Em dias de sol, a vista lá de cima sobre a Lagoa e os bairros a sua volta é maravilhosa. Há mais um motivo que me faz sentir à vontade nessa magnífica floresta: ela se situa, hoje, onde outrora funcionou o *Engenho de Cana-de-Açúcar de Rodrigo de Freitas* (no Rio de Janeiro havia 120 engenhos de açúcar no século XVIII) e, a partir de 1763, uma fazenda de café. Até que D. Pedro mandou reflorestá-la com milhares de espécies originais, cultivadas no *Real Horto*. Fato menos conhecido diz respeito a um botânico austríaco, o Professor Karl Glasl – diretor do Jardim Botânico entre 1863 e 1883 –, que participou do projeto de reflorestamento e plantio de 100 mil mudas.

Muitas vezes, de manhã cedinho, cruzei com famílias inteiras de macacos-prego, micos-estrela (primo do mico-leão-dourado), lagartos e cobras com mais de 1 metro de tamanho, pássaros, cachoeiras, bicas d'água e todos aqueles tons e camadas de verdes diferentes. E tudo isso a apenas 1 km da emissora de televisão onde trabalho desde que cheguei ao Brasil e que é um centro *hi-tech* por excelência. São dois mundos totalmente opostos, contrastantes, bem Brasil.

Esse meu caminho para a Vista Chinesa é a Estrada Dona Castorina e começa ao lado do Jardim Botânico do Rio de Janeiro – que brevemente completará 200 anos. Considerando as carências e prioridades do Brasil no começo do século XIX, a criação do *Jardim de Aclimação*, em junho de 1808, por D. João, Príncipe Regente à época, para aclimatar especiarias vindas das Índias Orientais, constitui um fato notável. Em outubro daquele ano, o *Real Horto* foi fundado no lugar onde funcionara a Fábrica de Pólvora(!). As primeiras mudas não vieram das Guianas, como se pensava, e sim das Ilhas Maurício (do Jardim *La Pamplemousse*). Entre elas, estava a PALMA MATER, cujo tronco original pode ser visto no museu local. Suas descendentes, as chamadas ,,Palmeiras Imperiais'', desenham uma alameda imponente. As mais altas estão resistindo a todas as intempéries há quase dois séculos! Toda vez que passo por lá – e isso ocorre todos os dias há mais de 25 anos –, fico intrigado. Como podem crescer tão alto e retas, orgulhosas, até a altura de um arranha-céu?

Não tenha dúvida: não há no mundo uma metrópole comparável ao Rio de Janeiro. Com 50 km de praias de areias claras, sua serra da Carioca e *sky-line* imbatível: Pão de Açúcar, Cristo Redentor, morro Dois Irmãos e Pedra da Gávea (local de pouso de naves extraterrestres, segundo E. von Däniken), a NATUREZA esfuziante do Rio continua impondo seu abraço verde e vigoroso por cima de todo o concreto construído pelo homem.

Não é por acaso que reis, rainhas e príncipes, dignitários do mundo todo, Einstein e tantas celebridades e botânicos ilustres ficaram impressionados com o Rio, seu Jardim Botânico e sua mata virgem.

Rio's Nature

The city of Rio lies at the edge of the sea and is blessed with wonderful beaches, framed by a mountain massif boasting the largest metropolitan forest in the world (Tijuca National Park with 8100 acres). A significant part of the *Mata Atlantica's* (wild forest) remnants, is located in the middle of a city with more than 10 million inhabitants. Trekkers get lost in there every year and have to be rescued by the fire department. For twenty years I have had the privilege of living in the district of *Jardim Botanico*. Each day, my jogging took me from *Horto* up to the *Vista Chinesa* and *Mesa do Imperador*, where I would do my workout. (in order to stay in shape for skiing in Austria). That's also where Pedro I went on picnics, which always reminded me of his wife, (Austrian) Leopoldina, and how uncomfortable she must have felt in all the voluminous clothing of that time.

Even bathing trunks can become a problem, as it happened to me once. It was on a December 31st. when one of those summer rainstorms blasted down, turning the street into a rushing river. I had to hold onto my swimming shorts that the sudden "waterfall" insisted in tearing down, while a bus filled with tourists drove by to see the normally breathtaking view from *Vista Chinesa* and were having fun staring at me, instead.

Another reason why I feel so comfortable in this magnificent forest: it is located where there used to be a sugar cane plantation/mill (there were 120 sugar mills, called *Engenhos*, in Rio de Janeiro in the 18th century), in 1763 it turned into a coffee plantation and a century later, D. Pedro II ordered its reforestation with thousands of original species, cultivated in the *Real Horto*, the Royal Seedling Garden. A lesser known fact is that an Austrian botanist, Prof. Karl Glasl – director of the Botanical Garden between 1863 and 1883 – participated in the reforestation project and the planting of 100,000 saplings.

Very often, early in the morning, I ran across whole families of howler monkeys, Wied's marmosets (cousin of the golden lion *tamarin*), lizards and snakes more than a meter long, birds, waterfalls, springs and an endless variety of green hues. All this, only a mile away from the television broadcasting station, a high tech center par excellence, where I have been working since I arrived in Brazil. Two entirely contrasting worlds. A common sight in Brazil.

The route to the *Vista Chinesa* starts alongside the Botanical Garden of Rio de Janeiro – soon to be 200 years old. Considering the deprivations and priorities of Brazil in the early 19th century, the creation of a garden in June 1808 by D. João, Prince Regent at that time, to acclimatize species and spices brought from the East Indies was a remarkable feat. In October that year, the Royal Garden was founded on the site of the colonial gunpowder factory. The first saplings did not come from Guiana as originally thought but from Mauritius (from *La Pamplemousse* Garden). Among them was the *Palma Mater*, whose original trunk can still be seen in the local museum. Its descendants – the so-called Imperial Palms – form a majestic alley. The tallest have withstood many storms over almost two centuries! Whenever I go by there – and this has happened every day for the last 25 years – I am intrigued by how tall and straight they grow, standing proudly, as tall as skyscrapers.

No doubt: there is no other city in the world comparable to Rio de Janeiro. Thirty miles of white, sandy beaches, its *Serra da Carioca* mountain range and matchless skyline: Sugarloaf, Christ statue, *Morro Dois Irmãos* hill and the *Gávea* rock (which, according to Erich von Däniken, is where alien spacecrafts landed), the lush and exuberant nature of Rio continues to extend a green and strong embrace around all that manmade concrete. Thus, it is no wonder that kings, queens and princes, dignitaries the world over, Albert Einstein and so many other celebrities and distinguished botanists have been so impressed by Rio, its Botanical Gardens and virgin forest.

La Naturaleza de Rio

Como si no bastara la situación de Río, con sus maravillosas playas, rodeada por montañas, la ciudad está aún bendecida con la mayor floresta „urbana" del mundo (Parque Nacional da Tijuca: 3.300 ha), una parte considerable de lo que queda de la selva Atlántica. En plena ciudad de más de 10 millones de habitantes, una verdadera „selva virgen", donde anualmente, trekkers se pierden y son rescatados por el Cuerpo de Bomberos. Tuve el privilegio de vivir por 20 años, en el barrio llamado *Jardín Botánico* (5 minutos a pié del Estudio TV Globo) y todos los días, mi jogging consistía en subir del *Horto* (Jardín) pasando por la Vista Chinesa hasta la *Mesa do Imperador*, donde hacía mis ejercicios para mantenerme en forma (para esquiar en Austria). Pero me imagino que cuando Pedro I llevaba a cabo allí sus Picknicks, lo incómodo que no sentiría su esposa, la Emperatriz Leopoldina, con todas aquellas prendas de vestir de la época.

A pesar de que un calzón de baño tambien puede convertirse en embarazo. Esto me sucedió un día 31 de diciembre. Cayó un temporal, como suele acontecer de repente en el trópico y era tanta el agua que la calle se convirtió en río y tuve que sostenerme y a mi calzón que, con la fuerza de la lluvia insistia en ceder, justo en el momento cuando un autobús lleno de turistas se detuvo en el lugar. En días de sol, la vista sobre la laguna y los barrios en su alrededor es maravillosa.

Existe un motivo más, que me hace sentir a gusto en esta magnífica floresta, situada, donde antaño se encontraba el molino de caña de azúcar de Rodrigo de Freitas (en Rio de Janeiro existían en el siglo XVIII 120 de ellos, llamados *Engenhos*), ya, a partir del 1763, una hacienda de café, hasta que Don Pedro – cien años después – mandó recultivarla con miles de especies originales, sembradas en el *Real Horto*. Un hecho menos conocido es de que un botánico austriaco, el Prof. Karl Glasl – Director del Jardín Botánico entre el 1863 y 1883 – tuvo participación en el proyecto de reforestación y plantación de 100.000 plantines.

Muchas veces, muy de mañana, me crucé en el camino con familias enteras de monos negros, monos-estrella (de la familia del mono león dorado), lagartos y cobras con más de un metro de tamaño, pájaros, cataratas, torrentes de agua y todos aquellos tonos y camadas de diferentes verdes. Y todo eso, a apenas un kilómetro de la emisora de televisión, en el cual trabajo desde que llegué al Brasil y que es un centro *hi-tech* por excelencia. Son dos mundos totalmente opuestos, contraste bien típico en Brasil!

Ese camino que tomo hacia la *Vista Chinesa*, comienza al lado del Jardín Botánico de Rio de Janeiro – que en breve cumplirá los 200 años. Considerando las necesidades y prioridades del Brasil a comienzos del siglo XIX, la creación del *Jardín da Aclimação*, en junio de 1808, por Don João VI, Príncipe Regente en esa época, para aclimatar especias llegadas de las Indias Orientales, constituyó un hecho notable. En octubre de aquel año, el *Real Horto* fue fundado en el lugar donde funcionaba la Fábrica de Pólvora. Las primeras plantas no vinieron de las Guianas, como se pensaba, sino de la Isla Mauritius (del Jardín *La Pamplemousse*). Entre esas se recibió la Palma Mater, cuyo tronco original puede ser visto en el Museo del Jardín Botánico. Sus descendientes, las llamadas *Palmeiras Imperiais*, forman una imponente alameda a la entrada principal. Las más altas, plantadas por el mismo D.João en 1808, están resistiendo a todas las intemperies hace ya casi dos siglos! Cada vez que paso por allí – y eso ocurre todos los días hace más de 25 años – quedo intrigado de cómo puedan crecer tan altas. rectas, y orgullosas, hasta la altura de un rascacielos.

No tenga duda alguna: no hay en el mundo una metrópolis comparable con Río de Janeiro. Con 50 km. de playas de arena clara, su *Serra da Carioca* y el *sky-line* sin igual: *Pão de Açúcar, Cristo Redentor, Morro Dois Irmãos* y *Pedra da Gávea* (lugar de aterrizaje de naves extraterrestres, según E. von Däniken), la naturaleza impetuosa de Río continúa colocando su brazo verde y vigoroso por encima de todo el hormigón construido por el hombre.

No es por casualidad que reyes, reinas y príncipes, dignatarios de todo el mundo, Albert Einstein y tantos célebres personajes e ilustres botánicos quedaron impresionados con Río, su Jardín Botánico y su selva virgen.

Die Natur Rios

Die Stadt Rio ist mit wunderbaren Stränden gesegnet, ist von einer Bergkette umrahmt und besitzt den größten städtischen Wald der Welt (Nationalpark Tijuca mit 3.300 ha.). Inmitten eines „Groß-Rios" mit mehr als 10 Millionen Einwohnern ist ein wichtiger Teil der überlebenden Mata *Atlantica* erhalten, in der sich jedes Jahr Wanderer verirren, die von der Feuerwehr geborgen werden müssen. Ich hatte 20 Jahre lang das Privileg, im Viertel *Jardim Botanico* zu wohnen (5 Minuten zu Fuß von TV Globo). Jeden Tag führte mich meine Joggingroute hinauf vom *Horto* (Garten) zur *Vista Chinesa* über die *Mesa do Imperador*, wo ich meine Gymnastik machte (um für meinen Skiurlaub in Österreich fit zu sein). In dieser Gegend veranstaltete Kaiser Pedro I. seine Picknicks und ich musste dort jedes Mal an seine Gemahlin, meine Landsmännin Kaiserin Leopoldina, denken: Wie unwohl sie sich in den wallenden Kleidern ihrer Zeit gefühlt haben muss!

Aber auch eine Badehose kann zu einer Belastung werden. Es war an einem 31. Dezember. Ein Wolkenbruch, wie man ihn nur in den Tropen kennt, prasselte so stark auf mich herab, dass ich meine Badehose peinlich festhalten musste, da in diesem Augenblick ein voll besetzter Touristenbus bei der *Vista Chinesa* stoppte, von der aus es an sonnigen Tagen einen prachtvollen Ausblick auf die Stadt gibt.

Es gibt noch einen Grund, weshalb ich diesen großartigen Wald so liebe: Der Wald steht heute, wo einst eine Zuckerrohrplantage war (in Rio gab es im 18. Jhdt. 120 Zuckermühlen, genannt *Engenhos*), die ab 1763 eine Kaffeeplantage wurde und wo „D. Pedro" hundert Jahre später mit tausenden Originalpflanzen, die im *Real Horto* kultiviert wurden, neu aufforsten ließ. Wenig bekannt ist, dass ein österreichischer Botaniker, Prof. Karl Glasl (von 1863 bis 1883 Direktor des Botanischen Gartens), an diesem Aufforstungsprojekt mit 100.000 Jungpflanzen beteiligt war.

In den frühen Morgenstunden habe ich oft ganze Familien von Brüllaffen gesehen, kleine Kralenaffen (verwandt mit den kleinen goldenen Löwenaffen), meterlange Echsen und Schlangen, große und winzige Vögel, Wasserfälle, Quellen und die vielen verschiedenen Grüntöne der Pflanzen bestaunt. Das alles etwa 1 km von der Fernsehstation entfernt, die sich mittlerweile zu einem High-tech-Zentrum *par excellence* entwickelt hat und bei der ich seit meiner Ankunft in Brasilien arbeite. Zwei total verschiedene Welten und Kontraste. Üblich in Brasilien!

Der Weg, den ich in Richtung *Vista Chinesa* einschlage, beginnt gleich neben dem Botanischen Garten, der demnächst 200 Jahre alt wird. Wenn man bedenkt, welch elementare Probleme Brasilien zu Beginn des XIX. Jhdt. hatte, so ist die Gründung des *Jardim de Aclimação* im Juni 1808 durch D. João VI. absolut erstaunlich. Hier haben sich die eingeführten Pflanzen „akklimatisiert", bevor sie, sechs Monate später, am *Real Horto* (königlicher Garten), der sich in der ehemaligen kolonialistischen Schießpulverfabrik befindet, umgepflanzt wurden. Die ersten Jungpflanzen kamen nicht – wie man früher dachte – aus den Guianas, sondern aus Mauritius (vom *La-Pamplemousse*-Garten). Unter diesen Jungpflanzen war auch die Palma Mater, deren Originalbaumstamm nun im Museum des Botanischen Gartens besichtigt werden kann. Ihre Nachkommen, volkstümlich *Palmeiras Imperiais* genannt, verdienen ihren Namen hundertprozentig und bilden eine majestätische Allee den Haupteingang entlang. Die höchsten dieser Palmen, die von D. João 1808 persönlich gepflanzt wurden und hunderte von tropischen Stürmen überstanden haben, werden demnächst 200 Jahre alt! Jedes Mal wenn ich dort vorbeikomme, und das kommt seit 25 Jahren fast jeden Tag vor, frage ich mich, wie diese Palmen so hoch und so gerade wachsen können!

Es besteht kein Zweifel: Es gibt auf der Welt keine vergleichbare Millionenstadt wie Rio de Janeiro. Mit 50 km weißen Sandstränden, dem Gebirge *Serra da Carioca* und der unübertrefflichen Skyline – Zuckerhut, Christusstatue am Corcovado, *Morro Dois Irmãos* und *Pedra da Gávea* (laut Erich von Däniken ein UFO-Landeplatz!) – umarmt die unbändige Natur von Rio mit ihren kraftvollen grünen Armen weiterhin die durch Menschenhand geschaffenen Betonbauten. Es ist daher nicht verwunderlich, dass Könige, Königinnen, Prinzen und Würdenträger aus der ganzen Welt, berühmte Botaniker und viele andere Prominente, wie Albert Einstein, von Rio und seinem Botanischen Garten so begeistert waren.

Foto: Filipa Richter

Sardinhas

São Conrado

Vila Riso, São Conrado

Barra da Tijuca

Cascatinha, Floresta da Tijuca

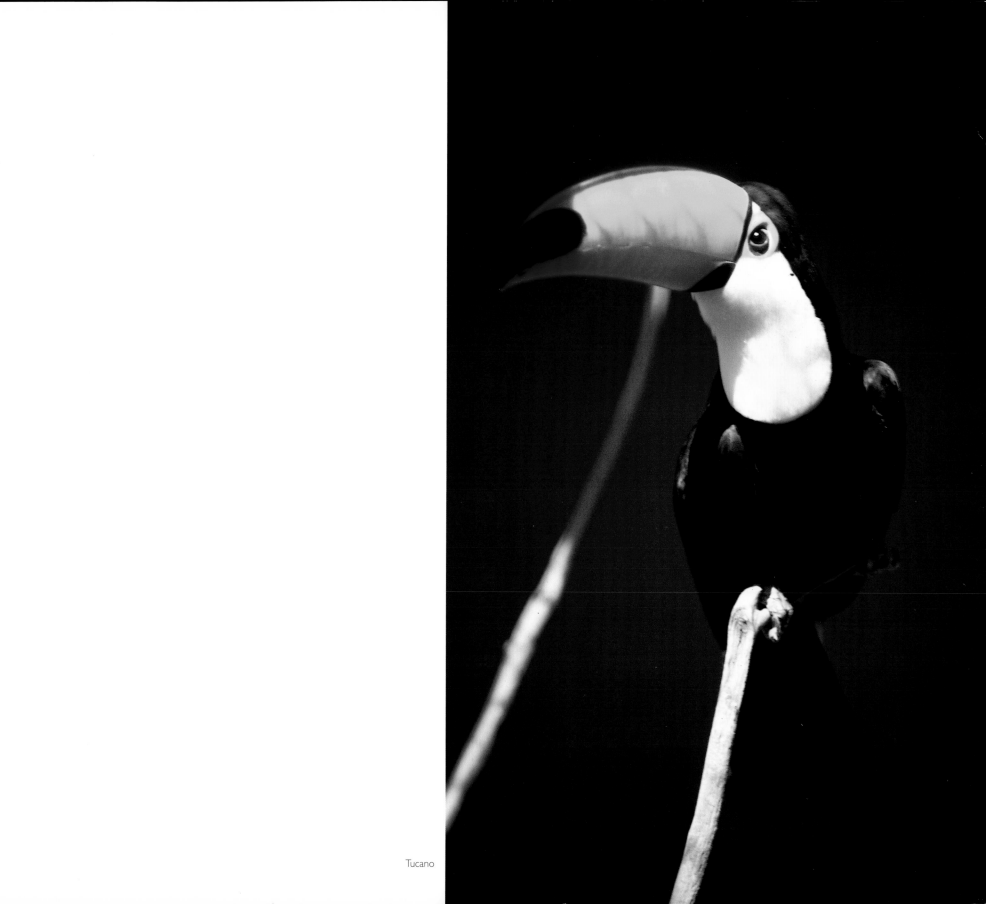

Tucano

Futebol

Minha paixão pelo Brasil começou na adolescência, mais precisamente durante a Copa do Mundo de Futebol de 1958, na Suécia. Naquela época, a maioria das famílias na Áustria ainda não tinha TV em casa. Meu irmão e eu, então, pagávamos para assistir, na casa de um vizinho, àquele time de craques brasileiros. Acostumados ao estilo sério, de força dos jogadores europeus, a cena em que Pelé, depois de marcar os dois gols que deram a primeira Copa do Mundo ao Brasil, foi chorar de emoção no ombro do Djalma, me tocou e, por extensão, despertou uma sensibilidade especial para com o Brasil. Após os jogos, voltávamos ao nosso quintal: eu incorporava o Gilmar no gol, marcado por duas árvores, e meu irmão „era" o Pelé.

A última coisa que poderia sonhar, então, era que algum dia eu iria contar essa paixão juvenil aos próprios, e ainda no idioma deles!

Contei ao Gilmar durante uma feijoada no Rio Othon (Hotel), e ele ficou visivelmente emocionado. E, antes mesmo desse encontro casual, durante a inauguração de uma exposição dos nossos videographics na sede do Citibank em Nova York, o Boni (José Bonifácio de Oliveira Sobrinho, meu mecenas e que transformou a Globo na quarta maior TV do mundo), me fez uma surpresa: trouxe o Pelé a tiracolo, rodeado de belas mulheres, tornando aquela noite ainda mais inesquecível. Outro jogador de quem sou fã incondicional é o Júnior, não só pela sua fase no gramado mas, mais ainda, por ser um grande mestre do futebol de praia, onde sua *performance* foi, simplesmente, genial. Em pleno Desfile de Carnaval, a Valéria chamou-me a atenção para ele. Cheguei embaixo do seu camarote e fiz-lhe uma reverência. Ele, espontaneamente, tirou a camisa do Flamengo que vestia e a atirou para mim. Meses mais tarde, embarcamos num mesmo vôo da Ponte Aérea e, papo vai, papo vem, o assunto naturalmente cai para o futebol. Depois que falei sobre os meus ídolos – dos quais ele faz parte –, Júnior retrucou que o seu era um austríaco. Eu não podia acreditar, menos ainda, depois de arriscar alguns nomes famosos de antanho, de que se tratava do Bruno Pezzei – o Bruno, que morava a menos de 3 km de minha casa e a quem tantas vezes vi jogar!

Na Feira de Basiléia de 2000, o país-*Tema* foi o Brasil. Levei meus relógios para a exposição e encontrei o Jairzinho, que estava capitaneando um grupo de meninos extraordinários que se exibiam no futebol „de praia". À noite, acabamos jantando no mesmo restaurante e confraternizamos. Quando lhe expliquei o significado do meu nome em alemão, ele pensou por um instante e respondeu: „... quer dizer que eu fui o *furacão* e você é o *trovão*." Uma noitada e tanto.

Maracanã: templo mundial do futebol, palco do futebol-arte, dos maiores jogadores de todos os tempos. Sua desastrada estréia em 1950 – quando quase 200 mil torcedores ficaram paralisados durante horas, após a derrota na final contra o Uruguai – foi amplamente compensada por décadas de espetáculos históricos, com gênios como Didi, Pelé, Garrincha, Coutinho, que, assim como as passistas do samba, herdaram sua ginga da África. A literal explosão da torcida, a alegria daquela massa de gente, mais a detonação de bombas e fogos e o delírio geral da galera durante um clássico, compõem um espetáculo à parte. A seleção brasileira faz sucesso quase sempre, mas sua torcida é unanimidade mundial.

Soccer

My passion for Brazil began in my youth, more precisely, during the 1958 World Cup in Sweden. In those days, most Austrians didn't have television at home yet and my brother and I had to pay to see Brazil's team of soccer stars. We were accustomed to the serious and forceful soccer of the Europeans. When I saw the scene where *Pelé*, after scoring the two goals, which secured the title for Brazil, cried on *Djalma's* shoulder, I was truly moved. It awoke a special sensitivity for Brazil in me. After the games, we returned to our backyard: I took the part of *Gilmar* in the goal, marked by two trees and my brother played *Pelé*. The last thing I ever dreamed was that some day I would personally tell them about my youthful passion and in their own language.

This happened many years later during a *feijoada* (Brazilian national dish) at the Hotel Rio Othon Palace when I met *Gilmar* and told him about it. He was visibly touched.

Years before this casual meeting, during the opening of an exhibition of our videographics at the headquarters of Citybank in New York, Boni (Jose Bonifacio de Oliveira Sobrinho, the man who turned TV Globo into the 4th largest TV station in the world and always fostered my projects for over two decades) surprised me by bringing along *Pelé*, surrounded by beautiful women and I told him that I had seen him crying on screen, twenty years earlier. That made the night even more special.

I still admire another player, *Junior*. Not only for his performance out on the soccer field, but also on the beach, where his playing bordered on genius. During a Carnival parade, Valeria pointed him out to me and I went beneath his loge and greeted him. Spontaneously, he took off his *Flamengo* shirt and threw it to me. Months later we flew on the same Rio-São Paulo shuttle flight. After telling him about my idols, of which he is one, of course, he said that his idol was an Austrian. I couldn't believe it, and even less so, after risking some names of the past, when it turned out to be Bruno Pezzei. Bruno, who lived less than 3 km from my home when I was a kid and had so often seen play!

At the Basle 2000 Trade Fair, the theme-country was Brazil and I took my designer watch collection to exhibit. *Jairzinho*, who was nicknamed *Furacão* (hurricane) during the 1970 World Cup, was there with a group of strapping youths playing demo-beach soccer.

That evening, we were having dinner at the same restaurant and when I told him the meaning of my name in Portuguese, he leaned back for a second and then said "... you mean that I was the *hurricane* and now you are the *thunder?* ..." What a grand night.

Maracanã: the temple of soccer, stage of the State of the Art soccer, of the greatest players of all times. Its unfortunate debut in 1950, when 200,000 soccer fans were paralyzed for almost two hours over the lost finals against Uruguay, was widely compensated over the ensuing decades with historic spectacles and geniuses such as: *Didi, Pelé, Garrincha, Coutinho*, who like samba dancers seemed to have inherited their swing from Africa. The literal explosion of the fans, the pleasure of the crowds, plus the fireworks and the general delirium of the masses during a classic is a spectacle in itself. That's why Maracanã is unbeatable.

Futbol

Mi pasión por Brasil comenzó en mi adolescencia, precisamente por ocasión de la Copa Mundial de Fútbol de 1958 en Suecia. En aquella época, la mayoría de las familias en Austria aún no tenían televisión en casa y mi hermano y yo pagábamos para ver esos ases del Brasil. Acostumbrados al estilo serio, forzado de los jugadores europeos, la escena cuando *Pelé*, después de marcar dos goles con los cuales Brasil ganó la Primera Copa Mundial, lloró de emoción en el hombro de *Djalma*, despertó en mi una sensación especial por el Brasil. Después de los juegos, regresabamos a casa: yo personificaba *Gilmar* en el gol, marcado por dos árboles y mi hermano era Pelé. La última cosa que pudiera soñar, era que algún día, iria contarles a ellos mismos mi pasión juvenil, y todavia en su idioma!

Se lo conté a *Gilmar*, durante una *feijoada* en el Hotel Río Othon y él quedó visiblemente emocionado. Y, antes mismo de ese encuentro casual, durante una inauguración de un exposición de nuestros *videographics* en la Sede del Citybank en Nueva York, Boni (José Bonifcio de Oliveira Sobrinho, mi mecenas y el que transformó la TV Globo en la cuarta mayor Emisora de Televisión del mundo), me dió una sorpresa al llegar con Pelé, rodeado de bellas mujeres y a quien tambien le conté de que lo habia visto llorar en la TV, veinte años antes, convirtiendo esa noche aún más inolvidable.

Otro jugador del cual soy un admirador incondicional es *Junior*, no sólo por sus adelantos en el estadio, sino aún más como gran maestro de fútbol de playa, donde tuvo una performance simplemente genial. En pleno desfile de carnaval, Valeria lo vió y fui hacia su camarote, brindándole reverencia. Espontáneamente el se quitó la camisa del *Flamengo* que vestía y la arrojó hacia mí. Meses más tarde tomamos el mismo vuelo del *Puente Aéreo* para *São Paulo* y después de hablar de mis ídolos – de los cuales él forma parte – él contestó que su ídolo era un austríaco. Yo no lo podía creer, menos aún, después de arriesgar algunos nombres famosos de antaño, de que se trataba de Bruno Pezzei. El Bruno que vivía a menos de 3 km. de mi casa y que vi jugar tantas veces!

En la Feria de Basel en el 2000, el país homenajeado como tema fue Brasil. Llevé mis relojes para la exposición y encontré a *Jairzinho* (llamado de *furacão* en el 70) y que estaba capitaneado un grupo de jóvenes extraordinarios, exhibiéndose en fútbol de playa. En la noche nos encontramos en una cena. Cuando le expliqué el significado de mi nombre en alemán, el pensó por un instante y respondió: "... *quieres decir que yo fui el* huracán *y tú eres el* trueno". Noche memorable, por supuesto.

Maracanã: templo mundial del fútbol, palco del fútbol en *estado de arte*, de los mayores jugadores de todo los tiempos. Su estreno malogrado en 1950, cuando casi 200 mil aficionados quedaron paralizados durante horas después de la derrota final contra el Uruguay, fue ampliamente compensado por décadas de espectáculos históricos, con genios como *Didi, Pelé, Garrincha, Coutinho* que, semejante a las *passistas*, se mueven con un *rebolado* africano. La verdadera explosión del publico, la alegría de aquella masa de gente, la detonación de petardos y fuegos de artifício y el delirio general durante un "clásico", es un espectáculo único. Por eso, es que el Maracanã es imbatible.

Fußball

Meine große Sympathie für Brasilien begann in meiner Jugend, und zwar während der Fußballweltmeisterschaft 1958 in Schweden. Zur damaligen Zeit war ein Fernseher in Österreich noch absoluter Luxus. Daher mussten mein Bruder und ich Eintritt bezahlen, um die Spiele mit der brasilianischen Nationalmannschaft und ihren Fußballgenies im Fernsehen verfolgen zu können. Wir waren damals den ernsten und kraftvollen Stil der europäischen Spieler gewohnt. Die Szene, als *Pelé*, nachdem er zwei Tore geschossen hatte und damit Brasilien zum ersten WM-Titel führte, an der Schulter von *Djalma* weinte, berührte mich sehr. Es weckte eine spezielle Sensibilität für Brasilien in mir. Nach den Spielen kehrten wir zu unserem Hinterhof zurück: Ich war der *Gilmar* im Tor, das sich zwischen zwei Bäumen ergab, und mein Bruder war *Pelé*. Ich hätte mir damals nie erträumen können, dass ich diesen Fußballstars jemals in ihrer Muttersprache persönlich von meiner Jugendleidenschaft erzählen würde.

Das ergab sich viele Jahre später während einer *feijoada* (brasilianisches National-Eintopfgericht), als ich *Gilmar* im Restaurant des Hotels Rio Othon traf und er von meinen Erzählungen offensichtlich berührt war.

Vor diesem zufälligen Treffen machte mir *Boni* (Jose Bonifacio de Oliveira Sobrinho, der mich seit 1975 beruflich immer unterstützt hat und seither TV Globo zum viertgrößten Fernsehsender der Welt gemacht hat) zur Eröffnung einer Ausstellung unserer Videographics im Headquarter der Citybank in New York eine Überraschung: Er brachte *Pelé* mit, umgeben von wunderbaren Frauen, und bei der Begrüßungsumarmung erinnerte ich ihn an seine Freudentränen in Schweden und deren Einfluss auf mein Leben. Der schon karrieremäßig wichtige Abend verwandelte sich in eine unvergessliche Nacht.

Außerdem bin ich aber noch ein bedingungsloser *Fan* eines anderen Fußballgenies: *Junior*. Nicht nur auf der Wiese bot er eine einmalige Performance, sondern er ist heute noch ein großer Meister des Strandfußballs. In einem Karnevalsumzug wies Valeria auf ihn, und ich trat vor seine Loge und bereitete ihm meine Ehrerbietung. Spontan zog er sein *Flamengo*-Hemd aus und warf es mir zu. Monate später trafen wir uns im selben Flug von Rio nach São Paulo und nachdem ich ihm von meinen Idolen erzählt hatte, sagte er mir etwas kaum Fassbares, nämlich dass sein Idol ein Österreicher war. Ich konnte es nicht glauben. Noch weniger, als er erklärte, es wäre Bruno Pezzei. Bruno, der nur wenige Kilometer von meinem Haus entfernt gewohnt hatte und den ich in meinen Jugendjahren oft spielen gesehen hatte.

Das Thema der Basler Messe 2000 war Brasilien. Ich präsentierte dort meine Designeruhren-Kollektion und traf *Jairzinho*, der aufgrund seiner stürmischen Angriffe bei der WM 1970 den Beinamen *Furacão* (Orkan) bekam. Er war mit einer Gruppe talentierter Jungs auf der Messe, um Demonstrations-Strandfußball zu spielen.

Als ich ihm während eines speziell organisierten Abendessens die Bedeutung meines Namens auf Portugiesisch erklärte – *Trovão* (Donner) –, dachte er ein paar Sekunden nach und antwortete: "Du meinst also, dass ich der Orkan war und du nun der Donner bist?" Eine unvergessliche Nacht. Maracanã: Tempel des Fußballs, Bühne des künstlerischen Fußballs, Heimat der größten Spieler aller Zeiten. Sein misslungenes Debüt im Jahr 1950, als 200.000 Fußballfans auf Grund des verlorenen WM-Finalspiels gegen Uruguay stundenlang wie gelähmt waren, wurde durch zahllose historische Matches mit den größten Fußballgenies mehr als ausgeglichen: *Didi, Pelé, Garrincha, Coutinho*, die sich wie Sambatänzer mit afrikanischem Swing bewegten. Die Explosion der Fans, die Freude dieser Menschenmasse, die Feuerwerke und das generelle Delirium während der "Klassiker" garantieren immer ein großes Schauspiel. Deswegen ist Maracanã unschlagbar.

Estádio do Maracanã

Torcida do Flamengo

Palácio Imperial
Quinta da Boa Vista

Igreja da Penha

Ponte Rio – Niterói

Fotos: Felix Richter & Martin Fiegl
Textos: Hans Donner

Publicado e distribuido por:
Céu Azul de Copacabana Editora Ltda
5. Edição – Rio de Janeiro, Brasil 2009
ISBN: 978-85-87467-15-7
Impresso na Áustria por Alpina Druck
Todos os direitos reservados ©

Coordenação Editorial: Felix Richter & Martin Fiegl

Agradecimentos: Eric O. Sigrist, Georgianna Basto,
Hans J. Richter, Carlos Eduardo, G. Ferreira,
Danilo Mattos

www.colorfotos.com.br
firma@colorfotos.com.br

Copacabana – Ano Novo